Inhoud

100% Overzichtelijk

Om deze gids overzichtelijk te maken hebben we Rome opgedeeld in zes leuke wijken en die voorzien van een gedetailleerde plattegrond. Op de overzichtskaart voor in de gids kun je zien waar die wijken zich ten opzichte van elkaar bevinden. Er staat tevens met de letters (A) t/m (x) aangegeven waar je de bezienswaardigheden in de buitenwijken, de hotels en de nachtclubs kunt vinden die verderop in de gids beschreven worden.

In de zes hoofdstukken die volgen, staat steeds uitgebreid beschreven wat er in de betreffende wijk allemaal te doen is, wat de belangrijkste bezienswaardigheden in die wijk zijn en waar je lekker kunt eten & drinken, shoppen, wandelen en luieren. Alle adressen zijn voorzien van een nummer (1) dat terug te vinden is op de plattegrond achter in het hoofdstuk. Aan de kleur van het nummer kun je zien om welk soort adres het gaat en waar je het adres terugvindt bij de beschrijvingen:

● bezienswaardigheden	● shoppen
● eten & drinken	● leuk om te doen

6 WANDELINGEN

Aan elk hoofdstuk is een wandeling toegevoegd. Op de plattegrond staat met een lijn aangegeven hoe de route loopt. De wandeling staat beschreven op de pagina naast de plattegrond en voert je vanzelf langs de interessantste plekken en leukste adresjes, zodat je niets mist. Je komt niet alleen langs bezienswaardigheden, musea en parken, maar ook langs bijzondere winkeltjes, lekkere lunchadressen en goede restaurants. Trek minimaal een halve dag per wandeling uit, want die tijd heb je er zeker wel voor nodig. Heb je geen zin om de (hele) route te lopen, dan kun je met de beschrijvingen en de plattegronden ook prima alles zelf ontdekken.

PRIJSINDICATIE BIJ HOTELS EN RESTAURANTS

Om je een idee te geven van de prijzen in hotels en restaurants, vind je bij hun adresgegevens steeds prijsindicaties. De bedragen bij hotels zijn, tenzij anders vermeld, de prijzen voor een tweepersoonskamer per nacht.

De bedragen bij de restaurants zijn, tenzij anders vermeld, een indicatie voor de gemiddelde prijs voor een hoofdgerecht.

ITALIAANSE GEWOONTES

Rome vraagt enig aanpassingsvermogen wat betreft ideeën die je eropna zou kunnen houden over efficiëntie. Ontspan en maak je niet druk over de afwezigheid van dienstregelingen, restaurants die later opengaan dan op het bordje staat en musea die juist eerder sluiten dan vermeld wordt.

Eten is een belangrijk onderdeel van het Italiaanse leven. De Romeinen eten over het algemeen later dan de gemiddelde Nederlander of Belg gewend is. 's Middags wordt er tussen één en drie geluncht en 's avonds beginnen alleen de meest toeristische restaurants voor acht uur aan het diner. Het woord 'restaurant' kan in Italië op verschillende zaken slaan. Een 'ristorante' is chic en behoorlijk duur. Een 'trattoria' of een 'osteria' is een eenvoudig familierestaurant waar eten wordt geserveerd zoals de Italianen thuis hun maaltijden bereiden. 'Pizzeria's' zijn goedkoop en levendig. Een 'enoteca' is een wijnbar waar je ook hapjes en lichte maaltijden kunt krijgen. Op de rekening staat vaak een bedrag voor 'coperto' of 'pane', het couvert, meestal zo'n drie euro per persoon. Hier hoef je geen fooi te geven, tenzij de bediening echt heel goed was. In andere eetgelegenheden geef je zo'n tien procent fooi.

Romeinen ontbijten niet uitgebreid; meestal nemen ze alleen een cappuccino en een croissant ('cornetto') in een plaatselijk barretje dat het midden houdt tussen een cafetaria en een café. Als je het echt Romeins wilt aanpakken, betaal je eerst bij de kassa en ga je daarna met je bonnetje naar de bar. Daar krijg je je bestelling, die je vervolgens staand wegwerkt. Dit alles duurt ongeveer twee minuten. Aan een tafeltje zitten en bediend worden is veel duurder en minder authentiek. Ook overdag kun je altijd een bar binnenlopen, een kop koffie drinken aan de bar, en weer weg. Handig en een snelle oppepper. Wil je doen zoals de Romeinen, koop dan geen flesjes water terwijl je de stad bezoekt. Neem je eigen flesje mee en vul het telkens opnieuw bij de vele waterkraantjes in Rome. Het is drinkwater en lekker fris.

Het lijkt misschien of Italianen de hele dag door drinken, maar ze drinken meestal alleen wijn bij het eten en gebruiken daarnaast op gezette tijden wat drankjes voor 'medicinaal gebruik'. Een aperitief moet de maag voorbereiden op de zware taak van het verteren van de maaltijd. Hiervoor drink je iets met belletjes, een spumante, of een mixdrankje, bijvoorbeeld met campari. Na het eten moeten de ingewanden gemasseerd worden met een digestief, een gedestilleerde drank, zoals grappa, 'limoncello', kruidenbitter of een likeurtje.

Winkels gaan tijdens de lunch meestal dicht, over het algemeen tussen half twee en drie. Tijdens de zomermaanden gaan ze vaak wat later weer open. De meeste winkels zijn op zondag en maandagochtend gesloten. Musea sluiten de kassa vaak een uur vóór de officiële sluitingstijd die in deze gids aangegeven staat.

Naast de gastronomie zijn de Italianen trots op hun voetbal. In Rome heb je twee clubs: Lazio Roma en AS Roma. Bij de derby's stijgt de spanning en kleurt de stad blauw, de kleur van Lazio Roma, en rood-oranje, de kleuren van AS Roma. Een voetbalwedstrijd bijwonen in het Stadio Olimpico is zeker een unieke ervaring. Kaarten kun je kopen in de AS Romashops, bijvoorbeeld op Piazza Colonna, of in enkele gespecialiseerde ticketshops. Neem altijd je paspoort mee, want vaak vragen ze erom.

NATIONALE FEESTDAGEN

Augustus is de belangrijkste vakantiemaand in Italië en de meeste winkels en restaurants in Rome zijn dan 'chiuso per ferie': wegens vakantie gesloten. Naast de variabele feestdag paasmaandag, heeft Italië de volgende nationale feestdagen:

1 januari	- Nieuwjaarsdag
6 januari	- La Befana (Driekoningen)
25 april	- Bevrijdingsdag
1 mei	- Dag van de Arbeid
2 juni	- Nationale feestdag 'Festa della Repubblica'
15 augustus	- Maria-Hemelvaart
1 november	- Allerheiligen
8 december	- Onbevlekte Ontvangenis
25 december	- Eerste kerstdag
26 december	- Tweede kerstdag

HEB JE NOG TIPS?

We hebben geprobeerd deze gids zo zorgvuldig mogelijk samen te stellen. Echter, het aanbod van winkels en restaurants wisselt in Rome regelmatig. Mocht je onverhoopt een adres niet meer kunnen vinden, of andere opmerkingen of tips hebben voor deze gids, laat het ons dan weten op *www.100procentrome.nl.* Op deze site lees je alle updates voor en aanvullingen op de gids en de evenementen in de stad.

Voor de goede orde moet vermeld worden dat alle voor deze gids geselecteerde adressen niet voor hun vermelding hebben betaald, niet voor de tekst en niet voor de foto's. Alle teksten zijn geschreven door de onafhankelijke redactie.

Hotels

In het centrum van Rome vind je veel kleine familiehotels en luxueuze hotels in mooie historische gebouwen. De grote hotelketens liggen over het algemeen in de buurt van het vliegveld en op andere plekken buiten de stad. De kleine hotels kunnen wat chaotisch zijn maar ze hebben vaak een eigen karakter en een goede locatie. De vele goedkope hotels in de buurt van centraal station Termini zijn vaak niet erg aantrekkelijk of gastvrij. Maar wie zoekt, die vindt. In Rome zijn ook heel wat nieuwe, originele hotels waar je met een beetje geluk voor een redelijke prijs kunt logeren. De letters bij de namen vind je terug op de overzichtskaart voor in de gids.

LAGERE PRIJSKLASSE

Ⓐ **Anfiteatro Flavio** is wat prijs-kwaliteitsverhouding betreft een pareltje, zeker in het laagseizoen. Het is er gezellig, de kamers zijn schoon (met airconditioning!) en je logeert er in het hartje van de wijk Monti, vlak bij het Colosseum. Het hotel biedt ook privérondleidingen aan waarvoor je je bij de receptie kunt inschrijven. Let ook op de namen van de zestien kamers: die hebben allemaal de naam van een Romeinse keizer gekregen.
via dei serpenti 130, telefoon 06 4740704, www.anfiteatroflavio.com, prijs vanaf € 75 (inclusief ontbijt), metro cavour

Ⓑ Zoals de naam al zegt ligt **Hotel Parlamento** vlak bij het parlementsgebouw en het is dan ook geliefd bij politici. Je krijgt echt waar voor je geld want het hotel ligt in het centrum en heeft een mooi dakterras waar je ook kunt ontbijten. Kamers met airconditioning, een zeldzaamheid in goedkopere hotels, zijn er voor € 11 extra per dag als je ernaar vraagt bij je reservering.
via delle convertite 5, telefoon 06 69921000, www.hotelparlamento.it, prijs vanaf € 90 (inclusief ontbijt), bus piazza san silvestro

Ⓒ **Okapi Rooms** is de ideale plek voor wie wil genieten van cafeetjes, restaurants en winkels. Vlak bij het Piazza del Popolo en het Piazza di Spagna zit je er uiteraard ook prima om het historische Rome in te trekken. De kamers zijn verzorgd en allemaal voorzien van airconditioning.
via delle penna 57, telefoon 06 32600546, www.okapirooms.it, prijs vanaf € 90, metro flaminio

HOTEL ORANGE (D)

MIDDENKLASSE

Ⓓ Als je houdt van design, kleur en originaliteit, dan is **Hotel Orange** zeker een aanrader. Het hotel heet niet voor niets 'Orange': van de toaster en de koelkast bij de ontbijttafel tot aan de stoelen in de kamers! Ook de bedden, net zoals alle andere meubelen, zijn best origineel, en zouden zo uit de film Alice In Wonderland kunnen komen. In totaal zijn er 26 kamers, en de bovenste verdieping (met terras!) is helemaal ingericht voor het ontbijt. Niet te vergeten: één stap uit het hotel en je bent bij de Sint-Pieter en de Musei Vaticani.
via crescenzio 86, telefoon 06 6868969, www.orangehotelrome.com, prijs vanaf € 117 (inclusief ontbijt), metro ottaviano, bus risorgimento

Ⓔ Het driesterrenhotel **Yes Hotel Rome** werd onlangs helemaal gerenoveerd en behoort nu tot de elegante, moderne hotels van de stad. De basiskleuren zijn hier zwart, grijs en bruin, vermengd in een minimalistisch interieur. Alle 29 kamers zijn modern ingericht, met plasma-tv en draadloos internet, maar sommige zijn wel aan de kleine kant. Het hotel is gelegen aan het Termini station; je logeert niet in het historische centrum, maar alles in de stad is wel meteen te bereiken.
via magenta 15, telefoon 06 44363836, www.yeshotelrome.com, prijs vanaf € 122 (inclusief ontbijt), metro termini

Ⓕ **Relais Le Clarisse** is alles waarnaar je verlangt voor een ontspannende vakantie. Vroeger was hier een klooster en dat merk je nog steeds. Je kunt genieten van de rust op het binnenplaatsje, ook al zit je in het hart van Trastevere. In totaal zijn er twee kamers en drie suites die allemaal op een eenvoudige maar erg stijlvolle manier zijn ingericht. Je voelt je hier meteen op vakantie...
via cardinale merry del val 20, telefoon 06 58334437, www.leclarisse.com, kamer vanaf € 135, suite vanaf € 170, tram viale trastevere

YES HOTEL ROME (E)

Ⓖ DOMUS SESSORIANA

Ⓖ Logeren in een klooster kun je bij Hotel **Domus Sessoriana**, gehuisvest in de Basiliek van het Heilige Kruis, vlak bij de beroemde kathedraal San Giovanni in Laterano. De sfeer die er hangt is heel apart en de gastvrijheid van de monniken is er groot. Alle kamers zijn ruim, met vaak hoge plafonds, en het dakterras is schitterend. Een hotel dat net iets anders is!
piazza di santa croce in gerusalemme 10-12, telefoon 06 706151, www.domussessoriana.it, prijs vanaf € 150 (inclusief ontbijt), metro san giovanni

HOGERE PRIJSKLASSE

(H) **Villa Laetitia** kun je moeilijk een hotel noemen. Eigenares Anna Fendi Venturini knapte het familiehuis niet zo lang geleden volledig op, en richtte het in volgens haar stijl en ideeën. In het huis zijn zes suites en vijf kamers, elk met hun eigen karakter. Bijna alle suites hebben een eigen tuintje of terras, en de kamers zijn stuk voor stuk ingericht met een kookhoekje. Stijlvol en zelfs een tikkeltje romantisch.
lungotevere delle armi 22-23, telefoon 06 3226776, www.villalaetitia.com, kamer vanaf € 180, suite vanaf € 250, metro lepanto

(I) Wie van modern design houdt, gaat naar het **Ripa Hotel**. Maar ook de locatie, midden in Trastevere, met uitzicht over de oude gebouwen van Rome geflankeerd door de markante pijnbomen, is een goede reden om hier te boeken. Het viersterrenhotel is eigendom van de familie Roscioli. Minimalistisch, zo valt de stijl en sfeer van het Ripa Hotel het beste samen te vatten. Het hotel beschikt over 170 kamers, van 'executive' tot 'essential'. Alle kamers zijn gevuld met design, van bed tot bad. De executive-kamers zijn eenvoudig maar mooi: de inrichting is sober en het zachte tapijt op de grond ziet eruit als een kiezelsteentjesvloer.
via degli orti di trastevere 3, telefoon 06 58611, www.ripahotel.com, prijs vanaf 270 euro (inclusief ontbijt), tram viale trastevere

(J) In het luxueuze vijfsterrenhotel **de Russie**, vlak bij Piazza del Popolo, beland je in de wereld van glitter en glamour. Alles is hier chic: van de wellnessruimte tot het restaurant, en van de kamers tot de binnentuin. Geen wonder dat alle Hollywoodsterren hier tijdens het Internationaal Filmfestival van Rome logeren.
via del babuino 9, telefoon 06 328881, www.hotelderussie.it, prijs vanaf € 670 (inclusief ontbijt), metro spagna, metro flaminio

Vervoer

Er gelden vaste tarieven voor een taxirit vanaf de **luchthavens** Leonardo da Vinci (Fiumicino) en Ciampino naar het centrum. Vertrek je van Fiumicino, dan betaal je € 40, vanaf Ciampino kost een rit € 30. Let wel op: het tarief geldt alleen binnen de muren van Aurelius, wat ongeveer overeenkomt met het historisch centrum. Er zijn op beide vliegvelden veel onofficiële taxichauffeurs die wachten op hun kans om een argeloze toerist geld afhandig te maken; let erop dat je in een witte auto met taximeter stapt. Een ritje met de 'Leonardo Express' **trein** van Fiumicino naar het centraal station Termini kost € 11 en duurt ongeveer 30 minuten. Als je op het vliegveld Ciampino aankomt, kun je ook een rechtstreekse bus tot aan het centraal station nemen. Een enkele rit met Terravision kost € 8, met Bus Shuttle € 6, en duurt ongeveer 45 minuten.

Eenmaal in het centrum is de **metro** heel handig. Er zijn twee metrolijnen die elkaar bij station Termini kruisen en de belangrijkste bezienswaardigheden passeren. Metrolijn B rijdt van 5.30 uur tot 23.30 uur (vr & za tot 1.30 uur). Lijn A stopt al om 22.00 uur, maar de pendelbussen MA1 en MA2 vervangen de lijn tot 23.30 uur (vr-za tot 1.30 uur). Met de **bus** kun je op plekken komen waar de metro niet komt, maar wees gewaarschuwd: de bussen zitten vaak erg vol en er zijn veel zakkenrollers. Je kunt het beste alleen de expresbussen nemen, die stoppen minder vaak en de route is wat minder ingewikkeld. Met de metro en bus 64 en 40 is het grootste deel van het centrum te bereiken. Er zijn een paar **trams**, voornamelijk in de buitenwijken, die handig zijn: lijn 8 naar Trastevere en lijn 2 naar het Piazza del Popolo.

Kaartjes voor de metro, bus en tram kosten € 1 en zijn 75 minuten geldig. Je moet je kaartje afstempelen als je instapt, anders is je vervoersbewijs niet geldig. Let wel op: met je kaartje kun je geen twee metroritten afleggen, ook al zijn de 75 minuten nog niet om! In die tijd kun je maar één keer de metro nemen. Je kunt kaartjes kopen bij de tabakszaak, op de grotere metrostations en bij sommige kiosken. Er zijn kaartjes voor één dag (€ 4), drie dagen (€ 11) en voor een week (€ 16). Ben je van plan de belangrijkste musea in Rome te bezoeken, dan is de Roma Pass ideaal. Die is drie dagen geldig, geeft je gratis toegang tot twee musea uit de lijst en een korting op de toegangsprijs voor de andere musea. En je kunt gratis het openbaar vervoer gebruiken. De Roma Pass kost € 20. Meer informatie vind je op *www.romapass.it*.

Als je 's nachts uitgaat zijn de **nachtbussen** heel handig. Ze verbinden de belangrijkste uitgaanswijken met elkaar en ze rijden tussen middernacht en 5 uur 's ochtends. Voor meer informatie zie *www.atac.roma.it.*

Taxi's in Rome mogen (in theorie!) niet op straat stoppen, maar moeten bij de taxihalte op hun klanten wachten. Let op dat de chauffeur de meter aanzet. Voor bagage betaal je extra en na tien uur 's avonds en op zon- en feestdagen is het tarief ook hoger: dan start de teller op € 5. Je hoeft geen fooi te geven. Via het nummer 063 570 kun je telefonisch een taxi bestellen.

Als je durft, kun je het ook echt Romeins aanpakken en een **scooter** huren. Je hebt hiervoor geen rijbewijs nodig, maar je moet wel een helm dragen. Een dagje scooteren kost ongeveer € 40. Roma Scooter Rent heeft twee verhuurwinkels. Eén in de Via Paola 12-13 (vlak bij de Tiber, aan de Corso Vittorio Emanuele II), tel. 06 6833469. De andere ligt aan de Via in Lucina 13-14 (bij het parlement), tel. 06 6876455. Probeer anders Treno & Scooter op het Piazza del Cinquecento, vóór het centraal station Termini, tel. 06 48905823.

Doordeweeks is het verkeer in Rome te druk en gevaarlijk om te **fietsen**, maar op zondag is het wel een goed idee. Er rijden dan sowieso al minder auto's en grote stukken van de stad zijn dan autovrij, bijvoorbeeld de straten rond het Colosseum, het Forum Romanum en de Via Appia Antica (zie 'Bezienswaardigheden buiten het centrum'). Het is ook leuk fietsen langs de oevers van de Tiber. Daar is een 25 km lang pad ingericht voor fietsers en voetgangers. Minder idyllisch zijn de stortplaatsen die je hier vaak onder de bruggen ziet. Fietsen kun je onder meer huren bij Treno & Scooter op Piazza del Cinquecento (zie Scooter). Meer informatie over het fietsnetwerk van Rome vind je op *www.biciroma.it.*

Rome is geen grote stad en als je alles uit je vakantie wilt halen en eventuele irritaties wilt voorkomen, kun je nog altijd het beste te voet gaan. Kijk uit voor het chaotische verkeer, denk niet dat iedereen voor een zebrapad stopt en kijk vooral naar hoe de Romeinen het zelf doen.

Quirinaal, Trevifontein & Pantheon

Politiek & 'La Dolce Vita' met veel koffie en romig ijs.

Je zou soms de tel kwijtraken in Rome: bijna op elke hoek van de straat staat een kerk, paleis of museum. Logisch ook, want Rome is meer dan het hart van het oude Romeinse Rijk en de zetel van de katholieke kerk; het is ook de hoofdstad van Italië. Dat merk je snel als je de omgeving van het Quirinaal, een van de zeven Romeinse heuvels, nadert. Op de top staat het enorme presidentieel paleis dat symbolisch over de stad uitkijkt.

1

Volgens de legende kom je ooit nog eens terug in Rome als je een muntje in de Trevifontein gooit. Geloof het of niet, maar is het niet beter om het zekere voor het onzekere te nemen? Overdag is het prima om even bij de fontein te zitten en af te koelen. 's Avonds, wanneer de fontein verlicht is, is het een heel romantisch plekje.

Rond het Pantheon, Romes best bewaarde monument uit de oudheid, vind je een scala aan kleine winkeltjes en authentiek Romeinse restaurants. De beste manier om deze buurt te ontdekken is om de smalle, kronkelige straatjes in te duiken met een Italiaans ijsje in de hand.

6x zeker doen volgens de locals!

Santa Maria della Concezione

Afdalen in de crypte.

Quirinaal

De daken van Rome bekijken.

Trevifontein

Gooi een muntje en kom nog eens terug.

Pantheon

Naar de hemel staren door het gat in het Pantheon.

Sant'Eustachio Il Caffè

De gesuikerde koffie moet je proeven.

Giolitti

Een lekker, romig ijsje uitkiezen.

Bezienswaardigheden
Shoppen

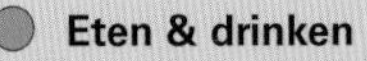

Eten & drinken
Leuk om te doen

Bezienswaardigheden

① De onopvallende façade van de **Santa Maria della Concezione** verbergt een luguber tafereel: in de grafkelder zijn de botten van vierduizend kapucijner monniken gebruikt om muren en plafonds van vijf kapellen te versieren. Sommige botten vormen christelijke symbolen en volledige skeletten hangen in pijen gehuld aan de muur of het plafond, zoals die van een jonge Barberiniprinses. In de laatste kapel lees je hun boodschap aan de bezoeker: 'Wat u bent, zijn wij geweest; wat wij zijn, zult u worden.'
via vittorio veneto 27, telefoon 06 4871185, www.cappucciniviaveneto.it, open ma-wo, vr-zo 9.00-12.00 & 15.00-18.00, do gesloten, entree gratis, vrijwillige bijdrage gevraagd, metro barberini

② Midden op het Piazza Barberini staat de **Tritonifontein**, in 1642 ontworpen door de beeldhouwer Bernini voor een Barberinipaus. Vier dolfijnen dragen een schelp waarop een zeegod (triton) neerknielt, en spuwen een straal water door een trompetschelp hoog de lucht in. Als je onder de schelp kijkt zie je ook enkele bijen, het symbool van de rijke familie Barberini.
piazza barberini, metro barberini

③ Het imposante **Palazzo Barberini** werd in de achttiende eeuw gebouwd als verblijf voor de machtige familie Barberini, waaruit zelfs enkele pausen voortkwamen. Binnen in het paleis brengt de rechterdeur je naar een kleine, spiraalvormige trap, gemaakt door Borromini. De brede monumentale trap achter de linkerdeur werd door zijn grote rivaal Bernini gebouwd. Deze trap brengt je bij de **Galleria Nazionale d'Arte Antica** met schilderijen vooral uit de zestiende en zeventiende eeuw, waaronder het beroemde portret van Rafaëls geliefde 'Fornarina' (de bakkersdochter). Meer werken uit de collectie van het Galleria Nazionale d'Arte Antica vind je in Galleria Corsini. Je kunt je ook laten rondleiden in de privéappartementen van de Barberini's, met de fresco's in de Sala della Battaglie als een van de hoogtepunten. Let op de afbeeldingen van bijen op deuren, standbeelden en fonteinen. Ze symboliseren de Barberini's en je vindt ze terug op verschillende monumenten in Rome.
via delle quattro fontane 13, telefoon 06 4824184, www.galleriaborghese.it, open di-zo 9.00-19.00, ma gesloten, entree € 5, 18-25 jaar € 2,50, metro barberini

④ Op het hoogste punt van de Via delle Quattro Fontane staan **Le Quattro Fontane**, de vier fonteinen, die de rivieren de Tiber en de Arno en de godinnen Diana en Juno voorstellen. De kerk van **San Carlo alle Quattro Fontane** waaraan Borromini 29 jaar heeft gewerkt, staat hier ook. Er wordt gezegd dat de kerk kleiner is dan de pijlers die de koepel van de Sint-Pieter dragen en dat het gebouw door zijn complexe patronen de verwarde geest van de architect weergeeft. Vanaf deze plek zie je aan de ene kant de kerk Santa Maria Maggiore en aan de andere kant de obelisk boven aan de Spaanse Trappen.
via delle quattro fontane, telefoon kerk 06 4883261, www.sancarlino-borromini.it, open ma-vr 10.00-13.00 & 15.00-18.00, za 10.00-13.00, zo 12.00-13.00, entree gratis, metro barberini

⑤ **Sant'Andrea al Quirinale** is een bijzondere, ovale kerk die geliefd is bij bruidsparen. De kerk werd door Bernini ontworpen. Ze wordt gezien als een van de hoogtepunten van de architectuurstijl barok en draagt de bijnaam 'het barokpareltje'.
via del quirinale 29, telefoon 06 4744872, open ma-za 8.30-12.00 & 15.30-19.00, zo 9.00-12.00 & 16.00-19.00,entree gratis, metro barberini

⑦ Vanaf het **Piazza del Quirinale** kijk je uit over Rome en de koepel van de Sint-Pieter. Het Quirinaal is met zijn 61 meter de hoogste van de zeven heuvels. De fontein op het plein is een mengeling van oude Romeinse beelden, een Egyptische obelisk en een middeleeuwse kom die vroeger als drinkbak dienstdeed. Het enorme **Palazzo del Quirinale** werd in de zestiende eeuw gebouwd als zomerverblijf voor de paus. Een tijdlang diende het als koninklijk paleis en sinds 1947 is het de residentie van de president van de Italiaanse republiek. Vanbuiten lijkt het paleis vrij sober, maar eenmaal binnen word je overdonderd door de luxueuze zalen. Een van die zalen heeft dezelfde structuur en afmetingen als de Sixtijnse kapel in het Vaticaan.
piazza del quirinale, telefoon 06 46991, www.quirinale.it, open bijna elke zondag 8.30-12.00 (check vooraf de website!), entree € 5, metro barberini

TREVIFONTEIN ⑪

⑧ Voor kinderen en pastaverslaafden is er het **Museo Nazionale delle Paste Alimentari**, oftewel het pastamuseum, waar je alles kunt leren over dit populaire gerecht. Het museum laat de pastageschiedenis zien van de Etrusken tot de dag van vandaag.
piazza scanderbeg 117, telefoon 06 6991119, www.pastainmuseum.com, open dagelijks 9.30-17.30, entree € 10, metro barberini

㉑ PIAZZA DELLA MINERVA

(11) De **Trevifontein** is een van de beroemdste fonteinen ter wereld. Je ziet Neptunus tussen de godin van Overvloed (links) en die van Gezondheid (rechts). Het water bereikt de Trevifontein langs een van de weinige intacte Romeinse waterkanalen. In de Romeinse tijd dronken de soldaten het water uit de fontein in de hoop dat ze veilig zouden terugkeren. Vandaag de dag gooi je, met je rug naar de fontein en met je rechterhand over je linkerschouder, een muntje in de fontein zodat je hier ooit nog eens terug zult komen.
piazza fontana di trevi, metro barberini

(14) Centraal op het Piazza Colonna staat de bijna dertig meter hoge **Zuil van Marcus Aurelius**. De reliëfs beelden taferelen uit van de oorlogen die keizer Marcus Aurelius in de tweede eeuw tegen de stammen langs de Donau voerde. In de zuil zelf leidt een wenteltrap van tweehonderd treden naar de top, maar je mag er als bezoeker niet mee naar boven. Het plein vormt het centrum van de politieke macht in Italië dankzij het Palazzo Chigi, de zetel van de premier.
piazza colonna, metro spagna, bus piazza san silvestro

(16) Een goed voorbeeld van architectonische recycling vind je op het **Piazza di Pietra**, waar de gevel van het beursgebouw bestaat uit de muren van een tempel ter ere van keizer Hadrianus. Een maquette van de hele tempel kun je zien bij Piazza di Pietra 36, aan de andere kant van het plein.
piazza di pietra, bus piazza venezia

(18) Het plein rond **Sant'Ignazio di Loyola** is speciaal voor deze kerk aangelegd. De kerk werd aan het eind van de zeventiende eeuw gebouwd en is gewijd aan Ignatius van Loyola, de stichter van de jezuïetenorde. Binnen vind je een overweldigende hoeveelheid pleisterwerk, verguldsel en marmer. Laat je niet voor de gek houden door de 'koepel' op het plafond; dit is een knap staaltje gezichtsbedrog!
piazza di sant'ignazio 8, telefoon 06 6794406, www.chiesasantignazio.org, open dagelijks 7.30-12.30 & 15.00-19.15, entree gratis, bus piazza venezia

(21) De marmeren olifant met een Egyptische obelisk op de rug is het eerste wat opvalt op het **Piazza della Minerva**. Het beeld is door Bernini ontworpen en symboliseert een krachtige geest die de wijsheid kan dragen. In de **Basilica di Santa Maria Sopra Minerva**, de enige gotische kerk van de stad, vind je een aantal betekenisvolle kunstwerken, waaronder het beeld van de Herrezen Christus van Michelangelo en fresco's van Filippino Lippo. Onder het altaar liggen de stoffelijke resten van Caterina van Siena, de patroonheilige van Italië. Alleen haar hoofd ontbreekt; dat ligt in een kerk in haar geboorteplaats. In het klooster naast de kerk werd Galileo Galilei in 1633 'ondervraagd' door de inquisitie totdat hij uiteindelijk zijn geloof in het model van het zonnestelsel van Copernicus opgaf.
piazza della minerva 42, telefoon 06 6793926, www.basilicaminerva.it, open dagelijks 8.00-19.00, entree gratis, bus piazza venezia

(22) Alles aan het **Pantheon** is indrukwekkend. Het is gebouwd in 118-128 na Christus nadat het eerste gebouw, uit het jaar 27 na Christus, door een brand werd verwoest. In de zevende eeuw werd de 'tempel voor alle goden van het hemelse pantheon' omgevormd tot kerk. De koepel, symbool voor de hemel, vormt een perfecte cirkel: 43,3 meter van muur tot muur en van de vloer tot het plafond. Het was het eerste plafond van gegoten cement, en tweeduizend jaar later is het nog steeds intact. De muren van het gebouw zijn onder aan de koepel zes meter dik en de enige lichtbron is het 'oog' bovenin, dat open is. In de gekleurde marmeren vloer ligt een afwateringssysteem naar origineel Romeins ontwerp. Het zal niemand verbazen dat Rafaël liever hier begraven wilde worden dan in de Sint-Pieter. Ook de tombes van de koningen van Italië, zoals Vittorio Emanuele II, kun je er zien.
piazza della rotonde, telefoon 06 68300230, open ma-za 8.30-19.30, zo 9.00-18.00, feestdagen 9.00-13.00, entree gratis, bus largo di torre argentina

(25) **San Luigi dei Francesi** is de Franse kerk van Rome. De kerk is vooral beroemd om de drie schilderijen van Caravaggio in de vijfde zijkapel aan de linkerkant, waarop scènes uit het leven van Mattheüs te zien zijn.
piazza san luigi dei francesi 5, telefoon 06 688271, open ma-wo, vr-zo 10.00-12.30 & 14.30-19.00, do 10.00-12.30, entree gratis, bus corso rinascimento

SANTA MARIA SOPRA MINERVA ㉑

㉖ Het **Palazzo Altemps** uit de renaissance is een onderdeel van het Museo Nazionale Romano. Hier vind je collecties met Romeinse beeldhouwwerken van adellijke families, waaronder de familie Ludovisi.
piazza sant'apollinare 44, telefoon 06 39967700, www.archeoroma.beniculturali.it, open di-zo 9.00-19.45, ma gesloten, entree € 7, 18-25 jaar € 3,50 (ticket 3 dagen geldig, inclusief entree palazzo massimo, crypta balbi, terme di diocleziano), bus corso rinascimento

Eten & drinken

⑨ De specialiteit bij **Nonna Papera** is bruschetta, dik gesneden toast met verschillende soorten beleg, variërend van plakjes tomaat met knoflook tot bonen in chilisaus. Net geen pizza maar meer dan een broodje en een leuke plek om te lunchen.
vicolo dei modelli 60, telefoon 06 6783510, open di-zo 12.00-15.00 & 19.00-22.00, ma gesloten, prijs € 8, metro barberini

⑩ Kenners zijn het erover eens: voor de beste ijssalon van Rome moet je naar **Il Gelato di San Crispino**. Een ruime keuze heb je hier niet - zo'n 20 smaken - maar de zorg en aandacht voor de details maken het verschil. Proef hier zeker de huissmaak 'gelato di San Crispino', gemaakt van honing van wilde bijen uit Sardinië!
via della panetteria 42, telefoon 06 6793924, open ma-wo-do-zo 12.00-0.30, vr-za 12.00-1.30, di gesloten, prijs klein ijsje € 2, metro barberini

⑫ Het **News Café** is met de lekkere salades een prima lunchcafé. Ook goed voor een aperitief of om even rustig de krant te lezen die voor je klaarligt.
via della stamperia 72, telefoon 06 69923473, open ma-vr 8.00-2.00, za-zo 10.00-2.00, prijs panini (aan een tafeltje) € 4, metro barberini

⑰ **Salotto 42** is een hippe bar met comfortabele stoelen, mooie designboeken om in te kijken en een zorgvuldig gekozen selectie cd's. Alles is hier te koop, maar alleen even luisteren mag ook. Verder kun je hier terecht voor een snelle lunch of, erg populair onder de Romeinen, voor het aperitief!
piazza di pietra 42, telefoon 066 785 804, open di-zo 10.00-2.00, ma gesloten, prijs middagbuffet € 10 (tussen 13.00-15.00), bus largo di torre argentina

⑳ **Green T** is meer dan alleen maar een Chinees restaurant. Het is modern, verfijnd en je kunt er thee, kleren, boeken, cd's en allerlei andere Chinese spulletjes kopen. Alles is verdeeld over vier verdiepingen volgens de traditie van feng shui. 's Middags kun je kiezen uit een van de vier 'quick lunch' menu's, terwijl je 's avonds uitgebreid van de Chinese keuken kunt proeven.
via pie'di marmot 28, telefoon 06 6798628, open ma-za 12.30-15.00 & 19.30-0.00, zo gesloten, prijs menu quick lunch € 8,50, bus largo di torre argentina

NEWS CAFÉ ⑫

(24) Je hoeft de geur van verse koffie maar te volgen om **Sant'Eustachio il Caffè** te vinden. Wie echt van koffie houdt, moet hier absoluut de 'caffè zuccherato' proeven, want volgens veel Italianen is het 'de beste koffie die er bestaat'. De bar staat er al sinds 1938 en brandt alle soorten koffie ter plaatse in houtgestookte ovens.
piazza di sant'eustachio 82, telefoon 06 68802048, open ma-do & zo 8.30-1.00, vr 8.30-1.30, za 8.30-2.00, prijs caffè zuccherato € 1, bus largo di torre argentina

(28) Laat je niet in de war brengen door het grote aantal ijssmaken (er zijn zo'n twintig variaties chocolade-ijs) bij **Gelateria della Palma**. Probeer ze gewoon! Kijk ook even naar de mooie etalages met snoep.
via della maddalena 20-23, telefoon 06 68806752, open dagelijks 8.00-1.00, prijs klein ijsje € 2, bus largo di torre argentina

(29) De familie **Giolitti** maakt al meer dan honderd jaar ijs. Voor belangrijke gebeurtenissen hebben ze speciale coupes bedacht, zoals de 'Coppa Olimpica' voor de Olympische Spelen van 1960 in Rome en de 'Coppa Mondiali' voor het WK voetbal van 1990 en van 2006, toen Italië wereldkampioen werd. Ze hebben hier zestig verschillende smaken ijs en patisserie.
via uffici del vicaris 40, telefoon 06 6991243, open dagelijks 7.00-1.30, prijs klein ijsje € 2, bus largo di torre argentina

(30) Neem als opkikkertje een espresso bij **La Tazza d'Oro**, waar ze hun eigen koffie importeren, roosteren en malen. Je proeft het verschil. Als je bang bent dat je nooit meer iets anders zult lusten, kun je deze bijzondere koffie hier ook kopen. 's Zomers is een 'granita' een aanrader: een heerlijke maar zeer sterke ijskoffie.
via degli orfani 84, telefoon 06 6789792 of 06 6792768, open ma-za 7.00-20.00, zo gesloten, prijs koffie € 0,75, bus largo di torre argentina

SANT'EUSTACHIO IL CAFFÉ ㉔

㉛ **Antonio al Pantheon** is een familierestaurant in een voetgangersstraatje dicht bij het Pantheon. De bakstenen gewelven en de schilderijen uit de jaren zestig zorgen voor een gezellige sfeer en de lekkere Romeinse gerechten voor een goed gevulde maag. Ook al houden veel toeristen hier halt; de Romeinen komen hier nog altijd graag.
via dei pastini 12, telefoon 06 6790798, open ma-za 12.00-15.00 & 19.00-23.00, zo gesloten, prijs pasta € 9, bus largo di torre argentina

27
32
15
PRO FVMVM
ROMA
CAMPO DI FIORI

Shoppen

(15) Wil je een typisch Romeins parfum als souvenir? Dan moet je een kijkje nemen bij **Pro Fumum**. Hier vind je ongeveer 20 verschillende geuren, allemaal ambachtelijk geproduceerd. En zoals de filosofie van Pro Fumum zegt: niets beter dan een geurtje om je mooie momenten te herinneren.
via della colonna antonina 27, telefoon 06 6795982, open ma 15.30-19.30, di-vr 10.00-19.30, za 10.30-13.30 & 14.30-19.30, zo gesloten, bus piazza san silvestro

(19) De chocoladewinkel **Moriondo e Gariglio** is opgericht in 1886 door twee meesterchocolatiers uit Turijn, de chocoladehoofdstad van Italië. Ze verkopen veel verschillende soorten chocolade (waaronder een met een cacaopercentage van tachtig procent!) maar ook prachtig marsepeinfruit en gekonfijte vruchten.
via pie'di marmot 21-22, telefoon 06 6990856, open ma-za 9.00-20.00 (soms ook open op zondag), bus largo di torre argentina

(23) De eeuwenoude **Cartoleria Pantheon dal 1910** verkoopt alles wat met papier en schrijven te maken heeft. Mooie spullen als schriftjes, perkament, inkt, nieuwe veren en schrijfpapier geven je meteen zin om aan je reisverslag van Rome te beginnen.
via della rotonde 15, telefoon 06 6875313, open winter dagelijks 9.30-19.30, open zomer dagelijks 10.00-20.00, bus largo di torre argentina

(27) Niet alleen de mozaïekvloer en het gewelfde plafond lokken je binnen bij **Jorando**, ook de leuke kleren, schoenen en tassen trekken de aandacht. Het assortiment is met name gericht op vrouwen, maar er zijn ook kinderkleren.
piazza campo marzio 9-12, telefoon 06 6878542, open ma 15.00-19.00, di-za 10.00-19.00, zo gesloten, bus largo di torre argentina

(32) Bij **Bartolucci** hoef je niet binnen te stappen om te weten wat er wordt verkocht. Al van ver zie je de dierenklokken met bewegende ogen aan de muren hangen en de vele kleuren van de houten marionetten, paarden... Alles wat je hier ziet wordt met de hand gemaakt.
via dei pastini 98, telefoon 06 69190894, open dagelijks 9.00-23.00, bus largo di torre argentina

Leuk om te doen

⑥ De kleine schaduwrijke **tuinen** langs de **Viale del Quirinale** zijn een verademing op een warme zonnige dag. De echte zestiende-eeuwse Giardini del Quirinale zijn alleen geopend op 2 juni, de nationale feestdag.
viale del quirinale, open dagelijks van zonsopgang tot zonsondergang, gratis, metro barberini

⑬ Ga zeker naar **Galleria Alberto Soldi**, al was het maar voor de sfeer. Zelfs als je niet wilt winkelen, is het een bezoekje waard. Deze winkelgalerij, vernoemd naar een bekende Italiaanse acteur, is niet groot maar geeft door de twee gangen en de hoge plafonds een fraaie indruk. Je vindt er winkels als Zara, Feltrinelli en Massimo Duti. De twee bars in de galerij bieden de ideale oplossing voor wie honger of dorst heeft en even zijn voeten wil laten rusten.
via del corso, tegenover piazza colonna, open dagelijks 10.00-22.00, gratis, bus piazza san silvestro

TUINEN VIA DEL QUIRINALE ⑥

Quirinaal, Trevifontein & Pantheon

WANDELING 1

Vlak bij metrostation Barberini ligt de kerk Santa Maria della Concezione (1). Loop naar Piazza Barberini voor de Tritonifontein (2). Aan de overkant van het plein beklim je Via delle Quattro Fontane. Loop langs Palazzo Barberini (3) en door tot de fonteinen op de kruising (4), sla rechtsaf en volg Via del Quirinale langs de kerk (5) en de tuinen (6) tot aan Piazza del Quirinale (7). Ga aan de overkant de trappen af en ga rechts Vicolo Scanderbeg in tot aan Piazza Scanderbeg. Als je honger hebt, neem dan het smalle straatje tegenover het museum (8), Vicolo dei Modelli (9). Zo niet, loop dan Vicolo Scanderbeg helemaal uit. Heb je zin in een ijsje, dan moet je hier rechts afslaan en links aanhouden naar Via della Panetteria (10). Wil je snel de Trevifontein zien, ga dan linksaf Via del Lavoratore in tot aan de fontein (11). Trek? Ga dan in Via della Stamperia rechts van de fontein naar News Café (12). Ga links van de fontein Via delle Muratte in en sla rechtsaf naar Via del Corso tot aan Galleria Alberto Sordi (13). Steek over naar Piazza Colonna (14) en neem aan de overkant van het plein Via Dei Bergamaschi, met vlakbij de Romeinse geuren van Pro Fumum (15). Loop verder tot Piazza di Pietra (16) (17) en volg Via del Buro naar Sant'Ignazio (18). Sla de straat rechts van de kerk in en ga op het einde rechtsaf naar Via del Pie'di Marmo (19) (20). Ga door tot Piazza delle Minerva (21). Loop door Via della Minerva naar de voorkant van het Pantheon (22). Als je uit het Pantheon komt, volg je links de zijgevel (23) tot aan de achterkant van het Pantheon. Sla rechtsaf naar Via della Palombella (24). Ga rechtsaf Via della Dogana Vecchia in tot op Piazza San Luigi dei Francesi (25). Neem links Via di Sant'Agostino. Loop door, onder de boog, tot op Piazza Sant'Apollinare (26). Neem het straatje rechts naast het museum Via del Gigli d'Oro en ga op het einde rechtsaf. Steek Via della Scrofa over en loop Via Stelletta in. Op het einde houd je rechts aan tot de winkels op Piazza di Campo Marzio (27). Als je zin hebt in een ijsje, is er keuze genoeg: of je slaat rechts af naar Via della Maddalena (28) of je loopt verder rechtdoor, voorbij Via di Campo Marzio, naar Giolitti (29). Als je bij Giolitti naar buiten stapt, ga je rechtsaf tot op Piazza di Monte Citorio. Steek het plein over, en neem rechts Via in Aquiro tot op Piazza Capranica. Aan de overkant van het pleintje ga je linksaf het straatje in voor leuke winkels en restaurantjes. Eenmaal voorbij La Tazza d'Oro (30) en laat je verbazen door de wandklokken bij Bartolucci (31) en laat je verbazen door de wandklokken bij Bartolucci (32).

1. Santa Maria della Concezione
2. Tritonifontein
3. Palazzo Barberini & Galleria Nazionale d'Arte Antica
4. Le Quattro Fontane & San Carlo alle Quattro Fontane
5. Sant'Andrea al Quirinale
6. Tuinen Viale del Quirinale
7. Piazza del Quirinale & Palazzo del Quirinale
8. Museo Nazionale delle Paste Alimentari
9. Nonna Papera
10. Il Gelato di San Crispino
11. Trevifontein
12. News Café
13. Galleria Alberto Sordi
14. Zuil van Marcus Aurelius
15. Pro Fumum
16. Piazza di Pietra
17. Salotto 42
18. Sant'Ignazio di Loyola
19. Moriondo e Gariglio
20. Green T
21. Piazza della Minerva & Basilica di Santa Maria Sopra Minerva
22. Pantheon
23. Cartoleria Pantheon dal 1910
24. Sant'Eustachio il Caffè
25. San Luigi dei Francesi
26. Palazzo Altemps
27. Jorando
28. Gelateria della Palma
29. Giolitti
30. La Tazza d'Oro
31. Antonio al Pantheon
32. Bartolucci

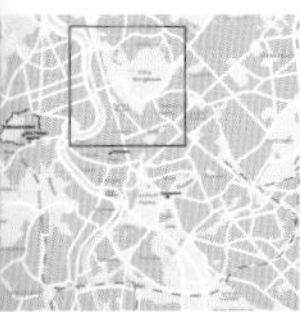

Villa Borghese & Piazza di Spagna

Rome in het groen, de Spaanse Trappen & Italian Fashion.

Het park van Villa Borghese, dat nu iets meer dan honderd jaar bestaat, is hét stadspark van Rome en de ideale plek voor romantische ontmoetingen, gezinsuitjes en picknicks met vrienden. Je ontdekt er leuke dingen zoals de kleinste bioscoop ter wereld en de Romeinse dierentuin. Maar ook aan cultuur is er geen gebrek met de Galleria Nazionale di Arte Moderna en het Museo Nazionale Etrusco di Villa Giulia.

De meest trendy zaakjes van Rome vind je rond het Piazza di Spagna. Ook als een outfit van Armani of Valentino iets te hoog gegrepen is voor je, is het leuk om hier etalages te bekijken. Er zijn genoeg fijne, betaalbare winkels in deze buurt, vooral aan de Via del Corso, een van Romes vele winkelstraten.

Maar natuurlijk is er meer te doen dan alleen maar winkelen! De Spaanse Trappen zijn een prima plek om even te zitten en mensen te bekijken. In dit deel van de stad vind je veel cafés en restaurants. Sommige zijn wereldberoemd, andere zijn juist zorgvuldig bewaarde plekjes voor insiders. Naar sporen uit de geschiedenis hoef je in Rome nooit lang te zoeken en dus vind je ook hier belangrijke monumenten zoals het vredesaltaar Ara Pacis Augustae en de Obelisk op Piazza del Popolo.

6x zeker doen volgens de locals!

Villa Borghese

Slenteren door het park.

Pincio

Het uitzicht over Rome bewonderen.

Spaanse Trappen

Heerlijk relaxen op een van de 138 treden.

Tad

De allernieuwste gadgets ontdekken.

Via dei Condotti

Modeontwerpen spotten in de etalages.

Gusto

Jezelf verwennen met een etentje.

- **Bezienswaardigheden**
- **Shoppen**
- **Eten & drinken**
- **Leuk om te doen**

Bezienswaardigheden

① De Romeinen genieten al sinds de zeventiende eeuw, toen het nog de achtertuin van de invloedrijke kardinaal Scipio Borghese was, van het groene park **Villa Borghese**. Je kunt hier onder meer heerlijk wandelen, picknicken, skaten of fietsen (fietsen zijn te huur), roeien op het meer, een bezoekje brengen aan een van de musea of de dierentuin...
www.villaborghese.it, altijd open, metro flaminio

③ De kunstverzameling van de familie Borghese in de **Museo & Galleria Borghese** wordt gezien als een van de belangrijkste collecties ter wereld. Omdat hij tot over zijn oren in de schulden zat, verkocht Camillo Borghese meer dan vijfhonderd kunstwerken aan zijn zwager Napoleon. Deze werken bevinden zich nu in het Louvre, maar het overgeblevene is zeker de moeite waard. Er zijn werken bij van Rafaël, Caravaggio, Rubens en Titiaan. Het beeldhouwwerk dat Canavo maakte van de mooie topless Paolina Borghese (de zuster van Napoleon) wekte de jaloezie van haar man. Ook de beelden van Bernini, zoals Apollo & Daphne en De Roof van Prosperina tonen zijn meesterschap en maakten van hem een van de grootste Italiaanse barokkunstenaars.
piazzale borghese del museo, telefoon 06 32810 (reserveren verplicht), www.galleriaborghese.it, ticketservice open di-zo 8.30-19.30, toegang om 9.00, 11.00, 13.00, 15.00 of 17.00 entree € 10,50, 18-25 jaar € 7,25, metro flaminio

⑤ De **Galleria Nazionale di Arte Moderna**, de nationale collectie van de negentiende- en twintigste-eeuwse kunst, is gehuisvest in een indrukwekkend en weelderig versierd gebouw. De meeste Italiaanse kunstenaars zijn hier vertegenwoordigd en vooral de afdeling Futurisme, een door industrialisatie en vooruitgang geïnspireerde kunststroming uit het begin van de twintigste eeuw, is erg goed.
via delle belle arti 131, telefoon 06 322981, www.gnam.arti.beniculturali.it, open di-zo 8.30-19.30, ma gesloten, entree € 6,50, 18-25 jaar € 3,25, metro flaminio, bus piazza thorwaldsen

(6) Het **Museo Nazionale Etrusco di Villa Giulia** is een renaissancepaleis dat ooit het zomerverblijf was van de paus. De Etruskische beschaving bestond in Italië al vóór die van de Romeinen. De Etrusken hadden een geschreven taal en waren bekwame ambachtslieden. Ze hadden een grote invloed op de Romeinse cultuur. Het hoogtepunt van het museum is de terracotta sarcofaag van de echtgenoten, rond 530 vóór Christus gemaakt.
piazzale di villa giulia 9, telefoon 06 3226571, open di-zo 8.30-19.30, ma gesloten, entree € 4, 18-25 jaar € 2, metro flaminio, bus piazza thorwaldsen

(7) Op de top van de Pincius, een van de zeven Romeinse heuvels, ligt het park **Giardino del Pincio**. Dit stuk landgoed werd door de familie Pincii na de plundering van Rome in de vijfde eeuw na Christus gekocht, en zij gaven het hun naam. Vanaf het uitzichtterras heb je een spectaculair uitzicht over Rome. Piazza del Popolo ligt aan je voeten en in de verte zie je het Vaticaan.
ingang piazzale napoleone I of viale delle magnolie, altijd open, entree gratis, metro spagna

(8) Het Piazza di Spagna dankt zijn naam aan het zeventiende-eeuwse Palazzo di Spagna, waar de Spaanse Ambassade gevestigd was. De beroemdste trappen ter wereld, de **Spaanse Trappen**, zijn in de achttiende eeuw gebouwd om de Franse kerk Trinità dei Monti boven aan de 138 treden te verbinden met de rest van de stad. Voor de Spaanse Trappen staat de bootvormige Fontana della Barcaccia die door vader en zoon Bernini werd ontworpen. Het kunstwerk verwijst naar de overstroming van de stad in 1598.
piazza di spagna, www.piazzadispagna.it, metro spagna

(9) In november 1820 kwam de aan tuberculose lijdende dichter John Keats met een gebroken hart naar Rome. Een paar maanden later overleed hij in het Casina Rossa, het rode huisje. Het is nu een museum: het **Keats-Shelley House**. genoemd naar hem en de romantische dichter Percy Bysshe Shelley, die ook in Italië stierf. In het museum vind je manuscripten en memorabilia, en je kunt in het appartement erboven overnachten, het wordt beheerd door de Britse Landmark Trust.
piazza di spagna 26, telefoon 06 6784235, www.keats-shelley-house.org of www.landmarktrust.co.uk, open ma-vr 9.00-13.00 & 15.00-18.00, za 11.00-14.00 & 15.00-18.00, zo gesloten, entree € 4, metro spagna

MAUSOLEO DI AUGUSTO ㉓

㉓ Augustus Caesar was de eerste Romeinse keizer en de erfgenaam van Julius Caesar. Het **Mausoleo di Augusto** was bedoeld als monumentaal praalgraf voor hem en zijn familie, maar vandaag de dag moet je je fantasie gebruiken om deze ruïne in de oorspronkelijke staat voor je te zien. Het gebouw is op verschillende manieren gebruikt en misbruikt. In de twaalfde eeuw was het een fort en in 1908 werd het gebruikt als concertzaal. De fascisten onder leiding van Mussolini, vastbesloten om het oude Rome weer tot leven te wekken, groeven de tombe en het gebied eromheen in 1936 weer op. De hoekige witte gebouwen aan het plein stammen ook uit die tijd.
piazza augusto imperatore, telefoon 06 67103819 za-zo 10.00-13.00 (bezoek op afspraak!), entree varieert naargelang aantal bezoekers, metro spagna

㉖ Het vredesaltaar **Ara Pacis** werd gebouwd tussen de jaren 19 en 9 voor Christus, als dank voor de stabiliteit die keizer Augustus de Romeinse wereld had gebracht met de onderwerping van Spanje en Galicië. Op de marmeren reliëfs staan processies en planten afgebeeld. Na de val van het Romeinse Rijk werd het altaar geplunderd. Na jaren van opgravingen en internationale onderhandelingen waren alle stukjes weer bij elkaar en werden ze in opdracht van Mussolini in elkaar gezet. Het moderne bouwwerk rondom het altaar is van de Amerikaanse architect Richard Meier.
lungotevere in augusta (op de hoek met via tomacelli) telefoon 06 68806848, www.arapacis.it, open di-zo 9.00-19.00 (24 & 31 december 9.00-14.00), ma gesloten, entree volwassenen € 6,50, 18-25 jaar € 4,50, metro spagna

㉙ In **Casa di Goethe** verbleef de Duitse dichter en toneelschrijver van 1786 tot 1788. Hij bracht er enkele van de gelukkigste en productiefste jaren van zijn leven door. In het museum kom je meer te weten over Goethes leven in Italië en de invloed hiervan op zijn werken. Bij de ingang hangt Andy Warhols versie van het schilderij 'Goethe op het Romeinse platteland', oorspronkelijk geschilderd door een Duits schilder en huisgenoot van Goethe. Dit is het enige Goethe-museum buiten Duitsland.
via del corso 18, telefoon 06 32650412, www.casadigoethe.it, open di-zo 10.00-18.00, ma gesloten, entree € 4, metro flaminio

㉚ Het **Piazza del Popolo** vormt het puntje van de Tridente, de drietand van Neptunus, zoals de drie straten Via di Ripetta, vial del Corso en Via del Babuino worden genoemd. Het plein is een van de grootste in Rome. Vóór de tijd van vliegtuigen en treinen was de Porta del Popolo, door Bernini vernieuwd in 1655, de belangrijkste toegangspoort tot de stad. Aan de uiteinden van het plein zie je een fontein met sfinxen en beelden die de vier seizoenen voorstellen. De vijfentwintig meter hoge Egyptische obelisk stamt uit de dertiende eeuw voor Christus.
piazza del popolo, metro flaminio

㉛ Volgens de legende staat de kerk van **Santa Maria del Popolo** op de graftombe van keizer Nero. Het verhaal gaat dat er een walnootboom op het graf van de gehate keizer groeide en dat hier kwade geesten in zaten in de vorm van zwarte kraaien. In de elfde eeuw zou de paus hier een eind aan hebben gemaakt door de boom om te hakken en op die plek een kapel neer te zetten. In de kerk vind je prachtige beeldhouwwerken van Rafaël, Caravaggio en Bernini.
piazza del popolo, telefoon 06 3610836, open ma-za 7.00-12.00 & 16.00-19.00, zo 8.00-13.30 & 16.30-19.30, entree gratis, metro flaminio

Eten & drinken

⑬ **Antico Caffè Greco** is een van de beroemde cafés in Rome. Het werd in 1767 door een Griek geopend, vandaar de naam. Sindsdien is het de favoriete ontmoetingsplaats voor de beau monde. Wie in het zaaltje gaat zitten, mag een gepeperde rekening verwachten. Drink je koffie liever aan de bar terwijl je de inrichting en de taartjes bewondert!
via dei condotti 86, telefoon 06 6791700, open zo-ma 10.30-19.00, di-za 9.00-19.30, prijs koffie (aan een tafeltje) € 4,50, metro spagna

⑯ Een oud maar erg sfeervol en warm café is **Caffè Notegen**. Al sinds jaar en dag is het geliefd bij kunstenaars uit de nabijgelegen Via Margutta. Hier worden talrijke tentoonstellingen en boekpresentaties georganiseerd. Het café is al sinds 1875 in Napolitaanse handen en dus serveren ze er een stevige kop koffie.
via del babuino 159, telefoon 06 3200855, open dagelijks 7.30-1.00, prijs koffie € 1 (aan de bar) metro spagna

⑱ Kunst en lekker eten gaan prachtig samen in het populaire vegetarische restaurant **Il Margutta**. Het restaurant beschikt over een grote, wat futuristisch aandoende zaal, waar kunstwerken van plaatselijke artiesten aan de muren hangen. Dit is een goede plek om even in de krant te bladeren of om een lichte en gezonde maaltijd weg te werken.
via margutta 118, telefoon 06 32650577, open dagelijks 12.30-15.30 & 19.30-23.30, prijs pasta € 13, metro spagna

⑲ **Gina** is een stijlvolle en aangename plek voor een lekker lunchgerecht of avondmaal. Het restaurant ligt wat verborgen in de diepte, maar de witte tafels en het mooie design doen je meteen afdalen. Er is keuze uit allerlei broodjes, salades, enkele pasta's en desserts. Je kunt er ook een gevulde picknickmand bestellen.
via san sebastianello 7a, telefoon 06 6780251, open ma-za 11.00-24.00, zo 11.00-20.00, prijs pasta € 10, metro spagna

GINA ⑲

㉔ **RECAFÉ**

(20) Wil je na het winkelen en ronddolen door de straatjes rond Piazza di Spagna even uitrusten, dan moet je zeker halt houden bij **Otello alla Concordia**. In dit familierestaurant kun je al vijftig jaar van de typisch Romeinse keuken proeven, en dit op een schitterend achttiende-eeuws binnenplein met planten en vruchten. De parmigiana (aubergines uit de oven) is heerlijk.
via della croce 81, telefoon 06 6791178, open ma-za 12.00-15.00 & 19.30-23.00, zo gesloten, prijs pasta € 7, metro spagna

(21) **Salsamenteria Croce** is de ideale oplossing voor een eenvoudige lunch in een leuke omgeving. Je kunt er salades, broodjes en andere lichte maaltijden krijgen terwijl achteraan ook meeneemmaaltijden en charcuterie worden verkocht. Winkel en restaurant in één. De inrichting is modern en tegelijk erg gezellig.
via della croce 78b, telefoon 06 6783153, open dagelijks 10.30-20.30, prijs panino € 4, metro spagna

(24) Modern, hip, anders eten en drinken. **Recafé** is een bar en restaurant zoals je er in Rome nog niet veel hebt, maar waaraan de Romeinen steeds meer waarde hechten. Het ultramoderne interieur met hout en draadglas doet je bijna vergeten dat je in het antieke Rome verblijft.
piazza augusto imperatore 36 (restaurant), largo dei lombardi 9 (bar), telefoon 06 68134730, restaurant open dagelijks 12.30-15.30 & 19.30-24.00, bar open dagelijks 10.00-24.00, prijs pizza € 9, metro spagna

(25) Ook **Gusto** is een blijvertje. Er is voor ieder wat wils. Je hebt een goed restaurant met fusiongerechten, een wijnbar met livemuziek, een goedkope pizzeria, een bonbonatelier en een boekwinkel met zo'n drieduizend culinaire boeken. Misschien denk je dat ze bij Gusto te veel tegelijk willen, maar ze hebben alles wel degelijk goed uitgewerkt. De inrichting is stijlvol zonder dat slaafs de trend wordt gevolgd. Aan de achterkant van het gebouw, in Via della Frezza, is onlangs L'Osteria geopend, een moderne versie van de klassieke Romeinse osteria. Daarnaast vind je de Formaggeria, waar honderden kazen liggen die je natuurlijk allemaal kunt proeven. Reserveren is absoluut noodzakelijk.
piazza augusto imperatore 7, telefoon 06 3226273, restaurant open dagelijks 12.45-15.00 & 19.45-24.00, pizzeria open dagelijks 12.45-15.00 & 19.45-1.00 (za-zo brunch 12.00-15.30), wijnbar open dagelijks 10.00-2.00, boekwinkel open dagelijks 10.00-22.00, osteria open dagelijks 12.30-15.00 & 19.30-24.00, formaggeria open dagelijks 10.30-2.00, metro spagna

(28) Bij **Enoteca Buccone** heb je de keuze uit een groot aantal verschillende wijnen, lekkere hapjes en lichte maaltijden. Het is een stukje 'geschiedenis' waar talrijke planken aan de muur helemaal doorlopen tot aan de gewelfde kelders en doorbuigen onder het gewicht van de wijn, de grappa en de likeuren.
via di ripetta 19, telefoon 06 3612154, winkel open ma-do 9.00-20.30, vr-za 9.00-23.30, zo gesloten, restaurant open ma-do 12.30-15.00, vr-za 12.30-15.00 & 19.30-22.30, zo gesloten, prijs € 9, metro flaminio

18
21
28

Shoppen

(10) **Giorgio Sermoneta** is het paradijs op aarde voor wie op zoek is naar een paar mooie leren handschoenen van topkwaliteit. Er hangen honderden paren in het smalle winkeltje en het aanbod aan kleuren en stijlen is enorm.
piazza di spagna 61, telefoon 06 6791960, open dagelijks 9.30-20.00, metro spagna

(11) Met al die grote namen in de buurt is het belangrijk om de kleintjes niet te vergeten. Bij **Pure** vind je zowel de exclusieve als de meer gangbare merken voor kinderen tot zestien jaar, van Dolce & Gabbana Junior tot Alberto Cavalli Angels. De kleding is ingedeeld naar leeftijd en het personeel is goed in het combineren van verschillende kledingstukken.
via frattina 111, telefoon 06 6794555, open ma 13.00-19.30, di-za 10.30-13.30 & 14.30-19.30, zo gesloten, metro spagna

(12) Als je door **Via dei Condotti** loopt, heb je het gevoel dat je in het tijdschrift Vogue bent beland. Het maakt eigenlijk niet uit of je de kleren die je in de etalages ziet nou kunt en wilt dragen, het is gewoon leuk om naar de creaties van de beroemde ontwerpers te kijken. De grote namen zijn hier vertegenwoordigd: van Valentino tot Armani, en van Gucci tot Prada.
via dei condotti, metro spagna

(14) Als de felgekleurde spulletjes van Alessi je iets te veel zijn, moet je absoluut naar **C.U.C.I.N.A.** gaan. Hier is alles zwart, wit, van chroom of van hout. Naast de gebruikelijke keukenaccessoires hebben ze ook veel grappige en bruikbare hebbedingetjes.
via mario de'fiori 65, telefoon 06 6791275, open ma 15.30-19.30, di-vr 10.00-19.30, za 10.30-19.30, zo gesloten, metro spagna

(15) **Tad Conceptstore** is een ultramoderne winkel die van alles verkoopt zolang het maar duur en hip is. Alles wat nieuw is, is hier te vinden: van bloemen tot boeken en cd's en van serviezen tot meubels. Achteraan in de winkel kun je iets drinken of eten in het Tad Café. Er is ook een klein overdekt binnenterras.
via del babuino 155a, telefoon 06 32695122, open ma 12.00-19.30, di-vr 10.30-19.30, za 10.30-20.00, zo 12.00-20.00, metro spagna

(22) De Romeinse ontwerpster Vanessa Foglia vindt zichzelf een groot kind dat nog in haar eigen fantasiewereld leeft. Dat merk je ook meteen aan de creaties en bizzare accessoires in haar winkel **Abitart**. De combinaties van patronen en kleuren zorgen voor originele jurken en setjes.
via della croce 46-47, telefoon 06 69924077, open dagelijks 10.30-20.00, metro spagna

⑰ VIA MARGUTTA

Leuk om te doen

(2) 73 vierkante meter groot, 63 stoelen, een groot scherm, een snoepwinkeltje en een kassa. Zo ziet het historische houten filmhuisje **Cinema dei Piccoli** eruit. Bij het ontstaan in 1934 werden er alleen kinderfilms gedraaid, maar nu kun je er 's avonds ook films voor volwassenen bekijken. In de namiddag kun je er nog steeds terecht voor kinderfilms. In 2005 werd het huisje door Guiness World Records uitgeroepen tot de kleinste bioscoop ter wereld.
viale della pineta 15, telefoon 068553485, www.cinemadeipiccoli.it, open dagelijks, aanvang voorstellingen variëren, prijs film € 5, metro flaminio

(4) De twaalf hectare grote dierentuin **Bioparco** is onlangs gerenoveerd. Bij slecht weer is het Museo Africano di Zoologia hier in de buurt een alternatief.
largo vittorio gassman, telefoon 06 3608211, www.bioparco.it, open dagelijks, 1 jan-24 mrt & 2 nov-31 dec 9.30-17.00, 25 mrt-1 nov 9.30-18.00, entree € 8,50, kinderen 3-12 jaar € 6,50, metro flaminio, museum: via ulisse aldrovandi 18, telefoon 06 67109270, www.museodizoologia.it, open di-zo 9.00-17.00, entree € 6, studenten € 3,50, tot 18 jaar gratis, metro flaminio

(17) Na het draaien van de film Roman Holiday uit 1953 heeft **Via Margutta** alleen maar meer faam verworven. In het smalle, vrijwel autoloze straatje aan de flank van de heuvel Pincius, voelt elke kunstliefhebber zich thuis. De vele galerieën maken van deze straat de meest artistieke in de stad. Op sommige zondagen laten de plaatselijke kunstenaars hun werk zien. Regisseur Federico Fellini heeft hier jarenlang gewoond.
via margutta, metro spagna

(27) **Olfattorio** is een 'parfumbar'. Je kunt hier niets kopen, maar wel de creaties van acht Franse parfumerieën uitproberen, net als in een proeflokaal. De behulpzame medewerkers vertellen je over de samenstelling van de parfums en over de ideeën erachter. Ze helpen je een geurtje te vinden dat bij jou past waarna je een lijst krijgt met winkels waar je deze parfums kunt kopen.
via di ripetta 34, telefoon 06 3612325, open di-za, 15.30-19.30, zo gesloten, metro flaminio

Villa Borghese & Piazza di Spagna

WANDELING 2

Volg vanaf het metrostation Spagna de ondergrondse route richting Via Veneto. Loop door het Centro Commerciale Villa Borghese en neem aan het einde van de lange gang de roltrappen tot op Largo Federico Fellini. Ga onder de stadspoort door, en neem rechts in het park (1) Viale della Pineta. Achter de Cinema dei Piccoli (2) ga je Viale Casina di Raffaello in en sla je rechts af naar Viale dei Pupazzi. Bij de fontein ga je rechts, en op het einde sla je linksaf Viale del Museo Borghese in. Je kunt kunst gaan kijken in Galleria Borghese (3). Als je Viale dell'Uccelliera langs de bloementuinen volgt, komen de dierengeluiden uit het Bioparco (4) je tegemoet. Ga aan het einde van de Viale del Giardino Zoologico, aan Largo Pablo Picasso, het park uit naar de Galleria Nazionale di Arte Moderna (5), hierachter ligt het Museo Nazionale Etrusco di Villa Giulia (6). Ga vóór het eerstgenoemde museum de trappen op, sla linksaf in Viale Madamma Letizia. Loop verder langs het meer, Via Dell'Aranciera in. Op het einde steek je het pleintje Piazza di Canestre over, Via delle Magnolie in. Hier stap je de tuinen Giardino del Pincio (7) binnen. Loop de obelisk voorbij tot op Piazza Napoleone en geniet van het uitzicht. Ga met je rug naar het terras staan en daal rechts de heuvel af, loop verder in Viale Trinità dei Monti tot aan de Spaanse Trappen (8). Daal de trappen af tot op de Piazza. Bezoek het schrijvershuis (9) of ga handschoenen shoppen (10). Hier in de buurt zijn tal van gezellige winkelstraatjes. Ga Via Frattina (11) in en neem wat verder rechts Via Belsiana, en ga dan opnieuw rechts de etalages van de luxemerken bekijken in Via Condotti (12) (13). Sla links af naar Via Mario di Fiori voor hebbedingetjes (14). Op het einde van deze straat ga je rechts en meteen links Via del Babuino in. Ook hier zijn tal van winkels (15) (16). Ga daarna de artistieke sfeer opsnuiven in Via Margutta (17) (18). Loop langs de flank van Piazza di Spagna, met het restaurant Gina (19) in de buurt, tot in Via della Croce, vol restaurantjes en winkeltjes (20) (21) (22). Steek op het einde Via del Corso over, loop het tegenoverliggende pleintje op, en wandel onder de boog door. Je komt uit op Piazza Augusto Imperatore met de resten van het praalgraf van de keizer (23). Links ligt het moderne Recafé (24). Loop naar rechts, richting Gusto (25), met vlakbij het altaar Ara Pacis (26). Daarna loop je verder richting Piazza del Popolo langs Via Ripetta (27) (28). Net voor Piazza del Popolo ga je rechts Via Angelo Brunetti in tot aan het Goethe-museum (29) in Via del Corso. Eindig met kunst en cultuur op Piazza del Popolo (30) (31).

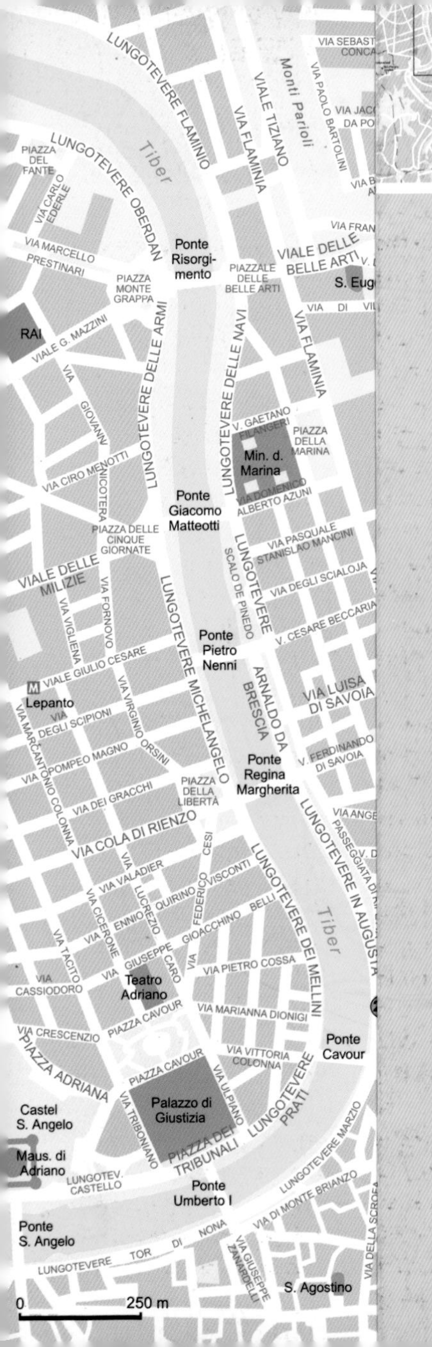

1. Villa Borghese
2. Cinema dei Piccoli
3. Museo & Galleria Borghese
4. Bioparco
5. Galleria Nazionale di Arte Moderna
6. Museo Nazionale Etrusco di Villa Giulia
7. Giardino del Pincio
8. Spaanse Trappen
9. Keats-Shelley House
10. Giorgio Sermoneta
11. Pure
12. Via dei Condotti
13. Antico Caffè Greco
14. C.U.C.I.N.A.
15. Tad Conceptstore
16. Caffè Notegen
17. Via Margutta
18. Il Margutta
19. Gina
20. Otello alla Concordia
21. Salsamenteria Croce
22. Abitart
23. Mausoleo di Augusto
24. Recafé
25. Gusto
26. Ara Pacis
27. Olfattorio
28. Enoteca Buccone
29. Casa di Goethe
30. Piazza del Popolo
31. Santa Maria del Popolo

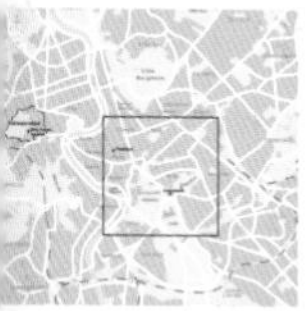

Colosseum, Forum Romanum & Monti

Waar de tijd bleef stilstaan: van het Colosseum tot de kleine steegjes van Monti.

Het centrum van het oude Rome is één groot openluchtmuseum. Het Colosseum is uiteraard het hoogtepunt, maar neem ook de tijd om het Forum Romanum te bekijken. Je kunt hier over straten uit de oudheid lopen, op resten van tempels zitten en archeologen aan het werk zien. Deze ruïnes waren het middelpunt van een groot rijk. Ook als je weinig van geschiedenis weet, kun je hier een goed beeld krijgen van het leven in het oude Rome. In de zomermaanden worden er voorstellingen gehouden en lopen er 'gladiatoren' rond die het Forum weer tot leven wekken.

3

Rondom het Forum vind je maar weinig goede restaurants. De karretjes met hun dure snacks van bedenkelijke kwaliteit zijn niet de moeite waard. Neem liever zelf iets te eten mee of zoek een eettentje in de nabijgelegen authentieke buurt Monti waar je een goed bord pasta kunt verwachten en ook leuk kunt winkelen. Monti is een trekpleister voor jonge, veelbelovende ontwerpers en vaklui. En dat zie je als je door de Via del Boschetto en de Via dei Serpenti loopt, waar voortdurend nieuwe winkeltjes worden geopend.

6x zeker doen volgens de locals!

Colosseum

Laat de grootsheid op je inwerken.

Palatijn en Forum Romanum

Duik de geschiedenis in.

Bar Capitolina

Lekker genieten op het dakterras.

Vittoriano

Vanaf het monument het uitzicht bewonderen.

Ai Tre Scalini

Proeven van een glaasje wijn.

Tina Sondergaard

Bekijk de leuke ontwerpen in haar winkel/atelier.

- **Bezienswaardigheden**
- **Shoppen**
- **Eten & drinken**
- **Leuk om te doen**

Bezienswaardigheden

(1) Toen het **Colosseum** nog in gebruik was, werd het 'het Flavisch Amfitheater' genoemd. De opening in 80 na Christus werd gevierd met spelen die honderd dagen duurden. Allerlei spelen werden hier opgevoerd, van gladiatorengevechten tot jachtpartijen en zelfs zeeslagen. Er konden meer dan 50.000 toeschouwers binnen en als het erg warm was, moest een speciale legereenheid aanrukken om een groot zeil over het gebouw te spannen voor schaduw. De architect van het Colosseum bedacht een systeem waardoor alle toeschouwers in een paar minuten tijd naar binnen of buiten konden. Dit wordt in moderne sportstadions nog steeds gebruikt.
piazza del colosseo 1, telefoon 06 39967700, www.archeoroma.beniculturali.it, open dagelijks vanaf 8.30, sluitingstijden afhankelijk van het seizoen, entree € 11, 18-24 jaar € 6,50 (inclusief bezoek palatijn & forum romanum), metro colosseo

(3) De **Arco di Constantino** werd in 315 na Christus gebouwd als een triomfboog ter ere van keizer Constantijn. De triomfboog is rijk versierd, maar als je goed kijkt zie je dat alleen de kleinere reliëfs langs de randen met Constantijn te maken hebben. De rest verwijst naar de regeringsperiodes van Trajanus, Marcus Aurelius en Hadrianus.
tussen via san gregorio en piazza del colosseo, metro colosseo

(4) Archeologische opgravingen laten zien dat al in het vroege ijzertijdperk nederzettingen lagen op de heuvel Palatino of **Palatijn**. In de tijd van de Republiek woonde de elite op deze heuvel en gedurende de keizertijd werden hier de gigantische paleizen van de keizers gebouwd. Het woord paleis is zelfs afgeleid van Palatino. Je vindt hier de resten van paleizen van Augustus, zijn vrouw Livia en veel van hun opvolgers, en zelfs een privéstadion. In het museum van de Palatijn zie je fragmenten van fresco's, beelden, bas-reliëfs en objecten die op de Palatijn werden gevonden. Na lange restauraties is nu ook het huis van Augustus, of **Casa di Augusto**, opengesteld voor bezoekers.
ingang vanaf het forum romanum aan largo della salara vecchia (aan via dei fori imperiali) of via di san gregorio 30, telefoon 06 39967700, www.archeoroma.beniculturali.it, open dagelijks van 8.30 tot een uur voor zonsondergang, entree € 11, 18-24 jaar € 6,50 (inclusief bezoek colosseum & forum romanum), metro colosseo

⑤ Het **Forum Romanum** was het politieke, commerciële en religieuze hart van de republiek Rome. Hier vergaderde de senaat en hielden politici hun toespraken. Handelaars deden er zaken, priesters brachten offers, mensen deden er hun inkopen en bespraken het laatste nieuws. Toen de macht van het Romeinse Rijk afnam, raakte het Forum in verval en in de vijfde eeuw na Christus kreeg het een heel nieuwe rol. Boeren lieten er hun vee grazen en het Forum kreeg dan ook de naam Campo Vaccino (koeienweide). De schitterende marmeren tempels werden geplunderd en omgebouwd. Tijdens de Middeleeuwen en de Renaissance kwamen bouwvakkers hier hun bouwmateriaal halen. In de negentiende eeuw werd begonnen met het opgraven van het oude Forum.
ingangen: largo salara vecchia (aan via dei fori imperiali) of via san gregorio 30, telefoon 06 39967700, www.archeoroma.beniculturali.it, open dagelijks vanaf 8.30 tot een uur voor zonsondergang, entree € 11, 18-24 jaar € 6,50 (inclusief bezoek colosseum & palatijn), bus piazza venezia, metro colosseo

⑥ De **Triomfboog van Titus** werd in 81 na Christus gebouwd ter ere van Keizer Titus voor zijn overwinning op Jeruzalem. De reliëfs aan de binnenzijde van de boog laten de sacrale inventaris van de joodse tempel in Jeruzalem zien. Andere reliëfs tonen de triomfantelijke intocht in Rome waarin de Romeinen trofeeën uit de tempel meedragen. De boog was eeuwenlang een symbool van schande voor de Joden.
zie forum romanum, bus piazza venezia, metro colosseo

⑦ De bouw van de laatste en grootste Romeinse basiliek, de **Basilica di Massenzio & Constantino** is begonnen onder keizer Maxentius en werd afgemaakt door Constantijn in 312 na Christus. Tegenwoordig is een basiliek een kerk, maar in die tijd was het gewoon een overdekte ontmoetingsplaats. Het gebouw was 100 meter lang en 65 meter breed en in de apsis (de uitbouw van het koor) stond een gigantisch beeld van Constantijn. Delen van dit beeld, waaronder het 2,6 meter hoge hoofd, zijn te zien in het Musei Capitolini.
zie forum romanum, bus piazza venezia, metro colosseo

VIA SACRA ⑧

⑧ De **Via Sacra** was de belangrijkste straat in het centrum van het oude Rome. De naam komt van de vele tempels die hier stonden en er werden ook processies en triomftochten gehouden. Een generaal kon een triomftocht bij de senaat aanvragen wanneer hij een oorlog had gewonnen waarbij het gebied was uitgebreid en waarbij tenminste vijfduizend vijandelijke soldaten waren omgekomen. Tijdens deze tocht werden gevechten nagespeeld en de krijgsgevangenen en oorlogsbuit werd getoond. De soldaten liepen ook mee en aan het eind van de tocht werd de leider van het vijandelijke leger in het openbaar geëxecuteerd.

zie forum romanum, bus piazza venezia, metro colosseo

⑨ De kleine ronde **Tempel van Vesta** was heel belangrijk in het oude Rome, net als de godin Vesta zelf, de godin van de haard. Men dacht dat er vreselijke dingen met de stad zouden gebeuren als het vuur in de tempel uit zou gaan. De zes vestaalse maagden, die tussen hun zesde en tiende jaar in het **Huis van de vestaalse maagden** intraden, moesten het vuur brandend houden. Ze verbleven er in totaal dertig jaar: de eerste tien jaar leerden ze hun plichten, de volgende tien hielden ze het vuur brandend en de laatste tien gaven ze hun kennis door. Het Huis was een soort klooster achter de tempel waar de vestaalse maagden veel respect en privileges genoten. Maar de regels waren streng: als het heilige vuur uit ging of als er twijfel was over hun maagdelijkheid werden ze levend ingemetseld.

zie forum romanum, bus piazza venezia, metro colosseo

(10) Keizer Antoninus Pius liet de **Tempel van Antoninus en Faustina** bouwen ter ere van zijn overleden vrouw Faustina. Toen hij stierf werd de tempel ook aan hem gewijd. In de achtste eeuw hebben de Romeinen de tempel omgebouwd tot kerk, waarbij de antieke zuilen als ingang voor de kerk werden gebruikt. De deur ligt nu ver boven het straatniveau, maar het geeft aan hoe hoog het afval op het Forum reikte nadat het was verlaten.
zie forum romanum, bus piazza venezia, metro colosseo

(11) Toen Julius Caesar in 44 voor Christus vermoord werd, konden de Romeinen niet geloven dat hij echt dood was. De senaat besloot hierop tot een openbare crematie. Augustus, de geadopteerde zoon van Julius Caesar, liet op deze plek de **Tempel van Julius Caesar** bouwen en verklaarde Julius tot God. Het goddelijke karakter werd ook op de latere keizers van toepassing. Nu nog leggen mensen er bloemen neer.
zie forum romanum, bus piazza venezia, metro colosseo

(12) In de **Curia** kwam de senaat bijeen. Driehonderd mannen debatteerden hier over de wet en adviseerden de twee consuls die de Republiek bestuurden. In de Middeleeuwen werd de Curia omgebouwd tot kerk maar in de jaren dertig van de twintigste eeuw werd de Curia gerestaureerd en in haar oorspronkelijke oude vorm teruggebracht. Let op de hoge plafonds en de goede akoestiek. De hoogte van de Curia is de helft van de som van de breedte en diepte, wat volgens Vitruvius, de architect uit de eerste eeuw na Christus, de ideale akoestiek geeft.
zie formum romanum, bus piazza venezia,metro colosseo

(13) De **Triomfboog van Septimius Severus** werd gebouwd in 203 na Christus ter ere van de tiende verjaardag van de overwinning van keizer Septimius Severus op de Parthen (het India van nu) en ter ere van zijn zoons Caracalla en Geta. Oorspronkelijk stond er een beeld van Severus en zijn twee zonen in een strijdwagen met zes paarden. In 212 na Christus, toen Caracalla keizer werd, vermoordde hij zijn broer Geta, die medekeizer was.
zie forum romanum, bus piazza venezia, metro colosseo

(15) Het Capitool is de kleinste van de zeven heuvels van Rome, maar doet zeker niet onder voor de rest. Het plein boven op de heuvel, **Piazza del Campidoglio**, is gebaseerd op ontwerpen van Michelangelo. Het ruiterstandbeeld in het midden is een door de computer berekende exacte kopie van een standbeeld van Marcus Aurelius uit de tweede eeuw na Christus. Het origineel staat in het **Musei Capitolini**, dat is ondergebracht in de twee zijdelingse paleizen op het plein. De verzameling klassieke beelden werd door verschillende pausen aan de stad Rome geschonken en in 1734 ontstond hier het eerste algemeen toegankelijke museum ter wereld. Op de binnenplaats van de **Palazzo dei Conservatori** vind je de beroemde fragmenten van het gigantische standbeeld van Constantijn, samen met de Lupa Capitolina, een Etruskisch beeld uit 500 voor Christus van de wolvin die de mythische tweeling Romulus en Remus gevoed zou hebben.
piazza del campidoglio, telefoon museum 06 39967800, www.museicapitolini.org, open di-zo 10.00-20.00, ma gesloten, entree € 6,20, bus piazza venezia

(17) Het gigantische witte nationalistische monument **Vittoriano** op het Piazza Venezia is moeilijk over het hoofd te zien. Het is gebouwd voor Vittorio Emanuele II, de eerste koning van Italië. In het gebouw vind je het Altare della Patria, het altaar van het vaderland, dat dag en nacht wordt bewaakt. Het Museo del Risorgimento, over de eeuw vóór de eenwording, is er ook gevestigd. Het gebouw is voor veel Italianen een doorn in het oog en wordt ook wel spottend 'de schrijfmachine' of 'de bruidstaart' genoemd. Boven op het Vittoriano heb je een prachtig uitzicht over de stad.
piazza venezia, telefoon 06 6991718, www.quirinale.it, open dagelijks 9.30-18.00, entree gratis, bus piazza venezia

(18) Het **Palazzo Venezia** deed in de zestiende en zeventiende eeuw dienst als ambassade van de Republiek Venetië. In het Museo del Palazzo Venezia vind je schilderijen en decoratieve kunst die in die periode verzameld zijn, waaronder wandkleden, keramiek, religieuze kunst en portretten (let eens op de ingewikkelde kapsels van de vrouwen!). Het balkon aan het Piazza Venezia is door Mussolini vaak gebruikt om toespraken gehouden.
via del plebiscito 18, telefoon 06 32810, www.ticketeria.it, open di-zo, 8.30-19.30, ma gesloten, entree volwassenen € 4, 18-25 jaar € 2, bus piazza venezia

(19) Het omvangrijke **Palazzo Doria Pamphilj** wordt al sinds de zeventiende eeuw bewoond door de nakomelingen van deze aristocratische familie. Binnen kun je de **Galleria Doria Pamphilj** bezoeken met een van de belangrijkste privékunstcollecties van Italië, waaronder schilderijen van Velázquez, Caravaggio en Titiaan. De inrichting is in de loop van de eeuwen bijna onveranderd gebleven, waardoor je het gevoel krijgt terug te gaan in de tijd.
piazza del collegio romano 2, telefoon 06 6797323, www.doriapamhilj.it, open dagelijks 10.00-17.00, entree € 8, studenten € 5,70, bus piazza venezia

(21) De **Markt van Trajanus** werd in de eerste eeuw na Christus gebouwd door de architect van Trajanus en diende als supermarkt voor het oude Rome. Het hele complex was zes verdiepingen hoog en je kon er alles krijgen: fruit, groente, wijn, specerijen en zelfs vis die in watertanks in leven werd gehouden. Bij de ingang staat nu vaak een tijdelijke tentoonstelling.
via IV november 94, telefoon 06 6790048, www.mercatiditraiano.it, open di-zo 9.00-19.00, ma gesloten, entree volwassenen € 6,50, 18-25 jaar € 4,50, bus piazza venezia

(22) Op de **Zuil van Trajanus** staan maar liefst 2500 figuren afgebeeld, verdeeld over 25 grote marmeren blokken. De reliëfs verhalen de veldslagen van keizer Trajanus in Dacia, het huidige Roemenië, en hangen als een perkamentrol om de zuil heen. Met de oorlogsbuit kon hij zijn forum betalen. De zuil is even hoog als de heuvel die afgegraven moest worden om het forum van Trajanus te bouwen.
via dei fori imperiali, bus piazza venezia, metro colosseo

(23) Toen Rome een keizerrijk werd en de stad net zo snel groeide als de ego's van haar leiders, werd het Forum Romanum te klein. De **Fori Imperiali** of keizerfora werden gebouwd. Julius Caesar zette in 54 voor Christus het eerste forum neer en zijn zoon volgde met het forum van Augustus. Aan het eind van de Via dei Fori Imperiali staat de Vredestempel, waarin de oorlogsbuit van de veldslagen in het Midden-Oosten te zien was. Voor keizer Nerva bleef er weinig ruimte over, dus zijn forum zit tussen het forum van Augustus en de tempel in gedrukt. Hiermee was het dal tussen de Quirinalis en het Capitool vol, maar dat weerhield keizer Trajanus er niet van om het allergrootste keizerforum te laten bouwen. Dat grenst aan de Markt en Zuil van Trajanus.
via dei fori imperiali, bus piazza venezia, metro colosseo

(35) De kerk van **San Pietro in Vincoli** is zowel voor kunstliefhebbers als voor pelgrims een bijzondere plek. Onder het hoofdaltaar liggen de ketenen waarmee Petrus vastgebonden zat. Het verhaal gaat dat er een wonder gebeurde waardoor een stukje van de keten waarmee hij in Jeruzalem vast had gezeten samensmolt met een stukje van de keten waarmee hij in Rome vast zat, toen die naast elkaar werden gelegd. Het plafondfresco toont het wonder van de ketenen. De andere belangrijke bezienswaardigheid is Michelangelo's onafgemaakte tombe voor paus Julius II, met het beeld van de gehoornde Mozes.
piazza di san pietro in tinfolie 4a, telefoon 06 4882865, open dagelijks 8.00-12.30 & 15.00-19.00 ('s winters tot 18.00), entree gratis, metro cavour

(36) Het **Domus Aurea** (gouden huis) was het gigantische paleis dat Nero liet bouwen. Hij werd op zijn zeventiende keizer, maar hij wordt vooral herinnerd vanwege zijn labiele persoonlijkheid. De moeder van Nero vergiftigde haar man om Nero op de troon te krijgen. Nero bedankte haar door haar een paar jaar later te vermoorden. Nero had meer belangstelling voor kunsten en vertier dan voor het regeren. Na de grote brand in 64 na Christus – die hij volgens de verhalen volkomen onaangedaan had zitten bekijken, zingend en spelend op zijn lier – liet hij een gigantisch paleis bouwen. Het nieuwe paleis besloeg een kwart van het oppervlak van het toenmalige Rome. Uiteindelijk werd Nero gebrandmerkt als vijand van het volk. Hij sloeg op de vlucht en pleegde zelfmoord. In de kamers van zijn paleis vind je enkele van de belangrijkste fresco's uit de oudheid.
viale della domus aurea 1, telefoon 06 39967700, www.archeoroma.beniculturali.it, open di-vr 10.00-16.00, reserveren verplicht via internet, www.pierreci.it of telefonisch 06 39967700, entree € 4, metro colosseo

Eten & drinken

⑯ **Bar Capitolina** behoort tot het Musei Capitolini, maar je kunt er ook naar binnen gaan zonder het museum te bezoeken. Het prachtige terras met uitzicht over Rome, het moderne interieur en de redelijke prijzen, maken de bar ideaal voor een lunch of een kop koffie. Het is er zelfbediening, tenzij je buiten op het terras zit waar je natuurlijk iets meer betaalt. De ingang van de bar is de museumuitgang aan de Piazzale Caffarelli. Er is geen uithangbord, maar loop gewoon de trappen op en laat je niet afschrikken door de agent die er achter de deur zit.
piazzale caffarelli 4, telefoon 06 69190564, open di-zo 9.00-20.00, prijs sandwich € 3,80 pizza € 8, bus piazza venezia

㉔ **Fafiuché** is alles in één: wijnbar, restaurant en delicatessenwinkel. Het is een leuke, kleurrijke plek waar je typisch Italiaanse delicatessen kunt kopen. Je kunt er bovendien genieten van een lekkere lunch, een biertje, een glas wijn, een aperitief of een heerlijk avondmaal. De leuze hier is: 'kijken, kiezen, proeven, en vooral genieten'!
via delle madonna dei monti 28, telefoon 06 6990968, open di-za 12.00-1.00, zo 17.00-1.00, prijs pasta € 7,50, metro cavour

㉕ **Enoteca Al vino Al vino** is niet groot, maar aan wijn is er geen tekort. Je kunt er uit meer dan zeshonderd verschillende wijnen kiezen en alsof dat niet genoeg is, hebben ze ook nog whisky, grappa en andere likeuren. Je kunt er ook een selectie kazen en salami of een klein gerechtje bestellen.
via dei serpenti 19, telefoon 06 485803, open dagelijks, ma-do & zo 17.30-0.30, vr & za 17.30-1.30, prijs glas wijn € 5, metro cavour

㉘ Een erg gezellige Romeinse enoteca is **Ai Tre Scalini**. Al sinds 1895 kun je hier een glaasje wijn drinken; en wie honger heeft kan altijd iets kiezen van het suggestiebord dat er hangt. Ook een deel van de wijnkaart staat op dit bord te lezen, maar vraag zeker de aparte wijnlijst want die is veel uitgebreider en krijg je niet altijd spontaan aangeboden. Reserveren is aan te raden.
via panisperna 251, telefoon 06 48907495, open dagelijks, ma-vr 12.00-1.00, za-zo 18.00-1.00, prijs lasagne € 6, metro cavour

ENOTECA AL VINO AL VINO ㉕

(32) **Vecchia Roma** is een eenvoudig, vrolijk restaurant. Je krijgt er waar voor je geld. Het is niet chic maar het eten is goed, vooral als je je laat adviseren door de enthousiaste eigenaar. De specialiteiten zijn traditionele Romeinse pastagerechten en superverse vis.
via leonina 10, telefoon 06 4745887, open ma-za 12.00-14.00, 19.30-24.00, prijs pizza € 7, metro cavour

(33) Velen zien het als een ideale plek voor een romantisch etentje, maar bij **La Cicala & La Formica**, de Krekel en de Mier, is ook prima voor een avond met vrienden. De gele muren binnen maken de sfeer gezellig en warm, en het terrasje buiten zorgt een leuke aanblik. De keuken is zuiders, en zowel het brood, de pasta als de desserts zijn huisgemaakt.
via leonina 17, telefoon 06 4817490, open ma-za 12.00-15.00 & 18.45-23.00, prijs pasta € 9, metro cavour

(34) Wie verliefd is op Sicilië of wil proeven van de zoete Siciliaanse specialiteiten moet zeker een bezoekje brengen aan **Ciuri Ciuri**. Hier bereidt de derde generatie van de Siciliaanse familie Benivegna ijs en andere zoetigheden die typisch zijn voor hun streek. De keuze is groot, net zoals de zorg waarmee alle producten worden bereid.
via leonina 18-20, telefoon 06 45444548, open dagelijks 9.00-0.00, prijs klein ijsje € 1,50, metro cavour

28

32

16

Shoppen

(26) Door het atelier achter in de winkel, kun je meteen zien hoe ontwerpster **Tina Sondergaard** te werk gaat. Haar kleding is kleurrijk, met jurkjes, broeken en jassen die gericht zijn op een jong, vrouwelijk publiek. Ze heeft ook mooie hoeden.
via del boschetto 1d, telefoon 06 48913883, open ma 15.00-19.30, di-za 10.30-19.30, zo gesloten, metro cavour

(27) **Le Gallinelle** is een kleine boetiek waar je allemaal vintagespulletjes vindt. Vroeger was dit winkeltje een slagerij, maar nu verkopen ze zowel originele kleding uit de jaren zestig en zeventig als nieuwe kleren gemaakt van oude stofjes die de eigenaresse, ontwerpster en kleermaakster Wilma zelf uitzoekt.
via del boschetto 76, telefoon 06 4881017, open ma 16.00-20.00, di-zo 10.00-14.00, 16.00-20.00, metro cavour

(29) Paolo Santoro, de eigenaar van **Centoventisette**, verkoopt kleding tegen een niet al te hoge prijs. De mooie kleding die in zijn winkel hangt, is in Italië geproduceerd en gericht op een modieus en jong publiek.
via del boschetto 127, telefoon 06 4823572, open ma 15.00-20.00, di-za 11.00-20.00, metro cavour

(30) In **Giardino del Tè** verkopen ze meer dan honderd soorten thee uit alle hoeken van de wereld. Droom weg bij de namen van de verschillende theesoorten, zoals jasmijn-drakenogen. Er zijn ook koekjes, jam en gekruide koffiesoorten te koop, maar een tuin zoals de naam doet vermoeden is er niet.
via del boschetto 112, telefoon 06 4746888, open winter ma 16.00-19.30, di-vr 10.30-14.30 & 16.00-19.30, za 10.00-13.30 & 16.00-19.30, open zomer ma-vr 10.30-14.30 & 16.30-20.00, za 10.00-13.30, metro cavour

(31) Een klein Colosseum of een Sint-Pieter van chocolade, gekocht bij **Bottega del Cioccolato**, is absoluut een origineel souvenir, maar of het heelhuids thuis aankomt is de vraag. Net als de pralines en bonbons worden de chocoladeversies van monumenten hier op ambachtelijke wijze gemaakt.
via leonina 82, telefoon 06 4821473, open ma-za 9.30-19.30, metro cavour

Leuk om te doen

(2) De centurio's en **gladiatoren** die in historische kledij voor het Colosseum staan, kun je gewoon niet over het hoofd zien. Ze staan er om, tegen betaling, met jou op de foto te gaan. Probeer ze niet stiekem te fotograferen want dan komen ze met hun zwaard achter je aan.
piazza del colosseo, prijs vanaf € 3, metro colosseo

(14) De **Miracle Players** bieden je een unieke kijk op het oude Rome. In veertig minuten vertellen de Engelssprekende acteurs je het verhaal van Rome en van de belangrijkste keizers. Ze baseren zich hierbij op klassieke teksten, maar hun aanpak is grappig en goed te volgen. De voorstellingen (alleen in de zomer) worden op een plein vóór het Forum Romanum gehouden. Kijk op de website voor data en aanvangstijden.
clivia argentario (voor Marmertijnse gevangenis), telefoon 06 70393427, www.miracleplayers.org, entree gratis, vrijwillige bijdrage gevraagd, metro colosseo

(20) In de virtual reality tour **Time Elevator** beleef je drieduizend jaar geschiedenis van het oude Rome. Time Elevator is tegelijkertijd pretpark, bioscoop en geschiedenisles. Het geeft in 45 minuten een goede inleiding op de historische plekken in de stad.
via dei santissimi apostoli 20, telefoon 06 97746243, open dagelijks 11.00-18.30, voorstelling iedere 30 minuten, entree € 11, kinderen € 9,20, bus piazza venezia

Colosseum, Forum Romanum & Monti

WANDELING 3

Vanuit het metrostation zie je meteen het Colosseum 1 2. Loop langs de Arco di Constantino 3 tot bij de ingang van het Palatijn 4 in Via di San Gregorio. Neem de uitgang aan de tuinen, die je naar het oude Rome brengt, tot de Via Nova op het Forum Romanum 5. Loop rechts tot bij de Triomfboog van Titus 6. Daal dan het pad rechts van de boog af, en wandel langs de grote Basilica di Massenzio & Constantino 7. Je loopt nu op de Via Sacra 8. Na de basiliek sla je links af tot bij het Huis van de vestaalse maagden en de daarnaast gelegen Tempel van Vesta 9. Als je met je rug naar de Tempel staat, dan zie je aan de andere kant van het Forum de Tempel van Antoninus en Faustina 10. Loop de ronde tempel van Vesta voorbij en ga rechts een kijkje nemen in de Tempel van Julius Caesar 11. Loop in de richting van de boog. Rechts staat de Curia 12. Wandel onder de Triomfboog van Septimius Severus 13 door, ga rechts de trappen op en stap uit het Forum. Misschien zie je hier acteurs aan het werk 14. Klim verder tot op het Piazza del Campidoglio voor kunst 15 of een lunch 16. Daal de trappen van het Piazza af, sla rechts af en loop naar het monumentale Piazza Venezia, met rechts het witte Vittoriano 17 en links het Palazzo Venezia 18. Loop nu Via del Corso in. Aan de linkerzijde liggen het paleis en de galerie van Doria Pamphilj 19. Wat verderop rechts ervaar je het oude Rome in Via dei Santissimi Apostoli 20. Neem de eerste straat rechts. Loop rechtdoor en sla links Via Quattro Novembre in. Op het einde van de straat ben je vlak bij de Markt van Trajanus 21. Daal aan de markt Via Magnanapoli af en neem de trappen naar beneden tot bij de Zuil van Trajanus 22. Wandel langs Via dei Fori Imperiali en bekijk links de keizerfora 23. Op het pleintje aan het kruispunt met Via Cavour neem je de smalle doorgang die je brengt tot de wijnbar en delicatessenzaak in Via della Madonna dei Monti 24. In deze gezellige buurt vind je veel winkels en restaurants. Ga zeker een kijkje nemen in Via dei Serpenti 25, sla dan rechts af naar Via di Frasche tot aan Via del Boschetto 26 27. Vlakbij, in Via Panisperna, ligt een gezellige enoteca 28. Op het einde van de straat 29 30, ga je links Via Leonina in 31 32 33. Tegenover de zoete etalage van Cuiri Cuiri 34 ga je de trappen op. Klim verder tot bij de kerk San Pietro in Vincoli 35. Ga Via Eudossiana in en sla rechts af naar de Via Delle Terme di Tito. Hier ligt de ingang tot het Parco Oppio met de Domus Aurea, het paleis van Nero 36.

1. Colosseum
2. Gladiatoren
3. Arco di Constantino
4. Palatijn & Casa di Augusto
5. Forum Romanum
6. Triomfboog van Titus
7. Basilica di Massenzio & Constantino
8. Via Sacra
9. Tempel van Vesta & Huis van de vestaalse maagden
10. Tempel van Antoninus en Faustina
11. Tempel van Julius Caesar
12. Curia
13. Triomfboog van Septimius Severus
14. Miracle Players
15. Piazza del Campidoglio & Musei Capitolini
16. Bar Capitolina
17. Vittoriano
18. Palazzo Venezia
19. Palazzo & Galleria Doria Pamphilj
20. Time Elevator
21. Markt van Trajanus
22. Zuil van Trajanus
23. Fori Imperiali
24. Fafiuché
25. Enoteca Al vino Al vino
26. Tina Sondergaard
27. Le Gallinelle
28. Ai Tre Scalini
29. Centoventisette
30. Giardino del Tè
31. Bottega del Cioccolato
32. Vecchia Roma
33. La Cicala & La Formica
34. Ciuri Ciuri
35. San Pietro in Vincoli
36. Domus Aurea

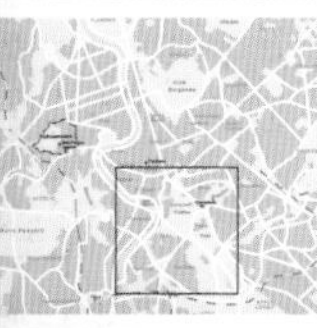

Ghetto, Caracalla & Piramide

Verborgen schatten: van de Joodse buurt naar het arbeiderskwartier.

De Joodse buurt van Rome, die nog steeds 'Ghetto' wordt genoemd, ligt tussen het Capitool en de Tiber. Het is een van de meest authentieke buurten met kleine kronkelige straatjes en warmrood gekleurde gebouwen. Je kunt hier lekker rondwandelen, rondkijken en lokale gerechten proeven. Andere delen van deze buurt komen je misschien erg bekend voor dankzij Hollywood. Audrey Hepburn vereeuwigde de Bocca della Verità in de film 'Roman Holiday' en het Circus Maximus dankt zijn bekendheid bij de moderne mens onder andere aan 'Ben Hur'.

4

De minder toeristische arbeiderswijk Testaccio telt naast de vele discotheken en restaurants ook een paar verborgen schatten. Wie verwacht namelijk een piramide midden in Rome of een heuvel opgebouwd uit Romeinse potscherven? In deze wandeling door Rome zie je het allemaal: van de koosjere keuken tot de typisch Italiaanse delicatessen, van een eilandje in de Tiber tot een Piramide in Testaccio, historische winkels, modern design bij Oblò, en ook nog de fresco's in de Chiesa del Gésu en de ruïnes van de Thermen van Caracalla.

6x zeker doen volgens de locals!

Chiesa del Gesù

De fresco's bekijken.

Antico Forno del Ghetto

Proeven van de ricottataart.

Isola Tiberina

Zonnebaden op het eilandje.

Giardino degli aranci

Verwonder je over het uitzicht.

Volpetti

De aroma's van Italiaanse kazen, salami en pasta opsnuiven.

Cimitero Acattolico

Rondwandelen in de schaduw van cipressen.

Bezienswaardigheden
Shoppen

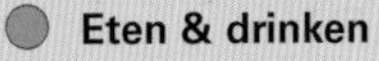

Eten & drinken
Leuk om te doen

Bezienswaardigheden

① De vier tempels van **Area Sacra dell'Argentina** behoren tot de oudste van Rome. In de jaren twintig van de vorige eeuw werden ze ontdekt bij bouwwerkzaamheden. De regering van Mussolini was meer geïnteresseerd in prestige dan in wetenschap en hield de ontdekking geheim. Dit heeft ervoor gezorgd dat de opgravingen nooit zijn afgemaakt en dat veel vragen onbeantwoord zijn gebleven. Sommige archeologen geloven dat hier de Curia van Pompeio was, waar Julius Caesar werd vermoord.
largo di torre argentina (hoek via arenula en via florida), om 16.00 dagelijkse rondleiding in engels, aanmelden bij roman cats, entree gratis, vrijwillige bijdrage gevraagd, bus largo di torre argentina

③ Toen **Chiesa del Gesù** tussen 1568 en 1584 werd gebouwd, vertegenwoordigde het een nieuwe architectuur voor een nieuwe religieuze orde, die van de jezuïeten. Het marmer en de barokfresco's, zoals die op het plafond, maken van de hoofdkerk van de jezuïeten een van de mooiste kerken van Rome. Ignatius van Loyola, de stichter van deze orde, ligt in de kerk begraven. Je vindt zijn graf in een zijkapel aan de linkerkant. Een tip: klop ook even aan bij de portier aan de deur rechts van de ingang van de kerk en vraag of je de 'Stanza di Sant'Ignazio', het summum van het trompe-l'oeil-effect, kunt zien.
piazza del gesù, telefoon 06 6786341, open dagelijks 6.45-12.45 & 16.00-19.45, entree gratis, verplichte informatiefolder € 2, bus largo di torre argentina

④ Het museum van de **Crypta Balbi** laat zien hoe de stad in de loop van de eeuwen is veranderd. Het begint bij de keizertijd, toen het theater en de crypte van Balbi, een belangrijke generaal, hier stonden. Stukjes van de crypte zijn later gebruikt om krotten, badhuizen, ovens, toiletten, statige paleizen, winkels en, in de middeleeuwen, een klooster voor de dochters van prostituees te bouwen.
via delle botteghe obscure 31, telefoon 06 39967700, www.archeoroma.beniculturali.it, open di-zo 9.00-19.45, ma gesloten, entree € 7, 18-24 jaar € 3,50 (ticket 3 dagen geldig, inclusief entree palazzo altemps, palazzo massimo & terme diocleziano), bus largo di torre argentina

⑥ Veel Romeinen beschrijven **Piazza Mattei** als een van de elegantste pleintjes van de stad. Het plein dankt zijn naam aan de familie Mattei, die in de zestiende eeuw vijf verschillende paleizen bezat, allemaal dicht bij elkaar. Dit deel van de stad heette dan ook wel het Mattei-eiland. Als je op het plein staat, ga dan op zoek naar het dichtgemetselde raam op de eerste verdieping van huisnummer 11. Het verhaal gaat dat een jonge edelman die in financiële problemen zat, aan de vader van zijn geliefde wilde laten zien dat hij tot grote dingen in staat was. Hij liet hij daarom in één nacht deze fontein bouwen. Daarop metselde hij het venster van waaruit de geliefden samen naar de fontein keken dicht met de woorden: 'Metsel dit venster dicht want zoals wij het zagen, zagen wij het alleen'.
piazza mattei, bus largo di torre argentina

⑪ De **Sinagoga** en het **Museo della Comunità Ebraica** vormen het hart van de Joodse wijk in Rome. Met haar 2000 jaar is het de oudste Joodse gemeenschap van Europa. De gemeenschap is verschillende keren het slachtoffer van vervolging geweest. Vooral in de zestiende eeuw, toen de antisemitische paus Paulus IV de gemeenschap dwong binnen de muren van het kleine Ghetto te wonen in onhygiënische omstandigheden; een wet die maar liefst 200 jaar lang gold. In het museum vertelt een film (in het engels of Italiaans) de geschiedenis van de Joden in het Romeinse Ghetto. Je ziet er ook meer dan 400 zilveren voorwerpen en allerlei documenten die stammen uit vooral de zeventiende en achttiende eeuw.
lungotevere cenci, telefoon 06 68400661, www.museoebraico.roma.it, open 16 sept-15 juni zo-do 10.00-16.15, vr 9.00-13.15, za gesloten, open 16 juni-15 sept zo-do 10.00-18.15, vr 10.00-15.15, za gesloten, entree € 7,50, studenten € 4,50, bus largo di torre argentina

⑮ Het **Teatro Marcello** is geen kopie van het Colosseum, ook al lijkt het misschien zo. Julius Caesar begon met de bouw van het theater, een van de grootste uit het oude Rome, en Augustus maakte het rond 12 na Christus af. Er zijn hier nooit gladiatorengevechten of sportwedstrijden gehouden. Augustus liet het bouwen ter nagedachtenis aan zijn neef Marcellus, die op jonge leeftijd overleed.
ingang in via foro piscario (via del portico d'ottavia) en in via del teatro di marcello, geen telefoon, open dagelijks winter 9.00-18.00, zomer 9.00-19.00, bus piazza venezia

⑯ Van het **Forum Boarium**, de veemarkt uit de Oudheid, zijn alleen nog twee tempels over. Deze tempels uit de eerste en tweede eeuw voor Christus zijn goed bewaard gebleven doordat ze later als kerk gebruikt zijn. De ronde tempel was gewijd aan Hercules Victor, terwijl de vierkante, een typisch Romeins ontwerp met een overdekte entree aan de voorkant, gewijd was aan Portunus, god van de rivierhaven. Een van de belangrijkste havens van de Tiber lag vlak bij deze tempel.
ingang via lungotevere dei pierleoni en piazza della bocca della verità, metro circo massimo

㉒ GIARDINO DEGLI ARANCI

⑰ Van de **Bocca della Verità**, eigenlijk een dekplaat van een afwateringspijp, wordt gezegd dat hij de hand van een leugenaar zal afbijten. Volgens een legende is de Bocca betoverd door een magiër die de deugdzaamheid van getrouwde vrouwen wilde testen. Steek je hand maar in de mond en kijk wat er gebeurt. Bezoek ook de aangrenzende kerk **Santa Maria in Cosmedin** want de vloer uit de twaalfde eeuw, de fresco's in de apsis en de mozaïek-fragmenten in de sacristie zijn de moeite waard.
piazza bocca della verità, telefoon 06 6781419, open dagelijks 9.30-17.00, metro circo massimo

(18) **La Basilica di San Giorgio al Velabro**, gebouwd tussen de zevende en achtste eeuw na Christus, mag misschien een van de vele kerkjes in Rome lijken; de ligging geeft deze kerk een bijzondere betekenis. Ooit was dit moerasgebied, 'velabrum' in het Latijn, doordat de Tiber regelmatig buiten zijn oevers trad. Volgens de legende zou hier vlakbij, tussen de Aventijn, de Palatijn en de Tiber, het mandje met Romulus en Remus aangespoeld zijn en zou Romulus hier de grenzen van Rome hebben afgebakend. Vlak bij de kerk zie je de **Arco di Giano** die geen triomfboog was, zoals de bogen op het Forum Romanum, maar een toegangspoort tot de markt aan het Forum Boarium.
via del velabro, open dagelijks 10.00-12.30 & 16.00-18.30, metro circo massimo

(19) Ook al is er niet veel meer te zien, het **Circo Massimo** straalt nog altijd de glorie van het verleden uit. De keizers van Rome organiseerden hier strijdwagenraces die konden worden bijgewoond door zo'n 300.000 toeschouwers. De overwinnaars waren grote helden, als ze de race overleefden. Er gebeurden veel ongelukken omdat er nauwelijks regels waren. Op de plaats van het Circo Massimo werd al vanaf de zesde eeuw voor Christus sport beoefend en iedere nieuwe keizer droeg bij aan zijn eigen populariteit door het sportcomplex verder uit te breiden.
via del circo massimo, altijd open, entree gratis, metro circo massimo

(20) De **Terme di Caracalla** behoren tot de indrukwekkendste ruïnes die van het oude Rome bewaard zijn gebleven. Er waren niet alleen badhuizen, maar het was een echt kuuroord, een van de uitgebreidste in zijn soort. In de termen van Caracalla had je fitnessruimten, sportvelden, zuilengangen, een bibliotheek, fraaie tuinen, feestzalen voor banketten, sauna's en massageruimten, hete, lauwe en koude baden en zwembaden. Alle gebouwen waren versierd met mozaïeken, schilderijen en pleisterwerk. De baden waren voor alle Romeinse burgers toegankelijk en er konden wel 1600 mensen in.
via delle terme di caracalla 52, telefoon 06 39967700, www.archeoroma.beniculturali.it, open dagelijks van 9.00 tot een uur voor zonsondergang, entree € 6, 18-24 jaar € 3, metro circo massimo

(22) De **Giardino degli Aranci** is een verborgen parel in de stad. Het kleine parkje, getooid met talrijke sinaasappelbomen, is gelegen op de Aventijn en biedt een schitterend uitzicht over het historische Rome. Vroeger behoorde dit parkje tot de dominicaanse kloosterorde van de ernaast gelegen Basilica di Santa Sabina, maar sinds 1932 is het park opengesteld voor het publiek. 'Rome by night' kun je er jammer genoeg niet bewonderen want net na zonsondergang sluit de plaatselijke wachter de poorten.
piazza pietro d'Illiria, open dagelijks van 9.00 tot zonsondergang, gratis, metro circo massimo

(25) Een **piramide** midden in Rome? Jazeker. Toen Egypte nog bij het Romeinse Rijk hoorde en Julius Cleopatra aan het versieren was, was deze stad helemaal gek van alles wat Egyptisch was. Of het nou ging om Nubische slaven, obelisken of Egyptische goden, de Romeinen waren gefascineerd door deze oude cultuur. De edelman Caio Cestio liet zelfs deze piramide van 36 meter hoog en 30 meter breed op zijn graf bouwen.
piazzale ostiense, metro piramide

(26) Dankzij de vele cipressen is het **Cimitero Acattolico** niet alleen een mooi kerkhof, het is ook een oase van rust en eenvoud. Meer dan vierduizend niet-katholieke buitenlanders die sinds het eind van de achttiende eeuw in Rome zijn gestorven, liggen hier begraven. De bekendste zijn de dichters John Keats, Percy Byssche Shelley en Julius, de enige zoon van Johann Wolfgang Von Goethe. Ook de oprichter van de Italiaanse communistische partij, Antonio Gramsci, rust hier onder de zoden.
via nicola zabaglia 45, telefoon 06 5741900, www.protestantcemetery.it, open ma-za 9.00-17.00, zo 9.00-13.00, entree gratis, vrijwillige bijdrage gevraagd, metro piramide

(27) De heuvel **Monte Testaccio** lijkt op het eerste gezicht gewoon een groene heuvel, maar als je van dichtbij kijkt zie je dat de heuvel is opgebouwd uit Romeinse potscherven, dakpannen en ander afval. Het was een vuilstortplaats voor de drukke pakhuizen die langs de rivier stonden. In veel van de restaurants aan de voet van de heuvel zie je dwarsdoorsneden van de heuvel. Monte Testaccio is nu een echte uitgaansbuurt waar tot vroeg in de morgen wordt gedanst in de buik van de berg.
via monte testaccio, metro piramide

CIMITERO ACATTOLICO ㉖

㉘ Een bezoek aan het **MACRO Future** of voluit Museo di Arte Contemporanea di Roma is los van de collectie al de moeite waard. Het museum is ondergebracht in het vroegere slachthuis en maakt sinds 2002 deel uit van het museum voor hedendaagse Italiaanse kunst. Het contrast tussen het oude slachthuis en de moderne kunst van het museum is zeker geslaagd. *piazza orazio giustiniani 4, telefoon 06 5742647, www.macro.roma.museum, open di-zo 16.00-24.00, ma gesloten, entree € 1, metro piramide*

Eten & drinken

(7) In het restaurant **Il Portico** kun je 's avonds laat en voor weinig geld kiezen uit koosjere gerechten of de typisch Romeinse keuken. Op de kaart staan pizza's, salades en verschillende vlees- en visgerechten. Meer dan genoeg keus om het je moeilijk te maken! Op het terras kun je intussen het leven in het hartje van de Joodse wijk volop ervaren.
via del portico d'ottavia 1, telefoon 06 6864642, open dagelijks 12.00-15.30 & 19.00-24.00, prijs € 8, bus largo di torre argentina

(10) Midden in het Ghetto, op een kleine heuvel, ligt het iets duurdere restaurant **Piperno**. In 1860 besloot de familie Piperno een simpele osteria te openen met spaghetti's maar ook met de beroemde Joodse artisjokken en klapvisfilet. De artisjokken zijn nog altijd de specialiteit van het huis, maar intussen heeft Piperno naam verworven met zijn traditionele koosjer gerechten. Reserveren is aan te raden.
monte dè cenci 9, telefoon 06 68806629, open di-za 12.45-14.30 & 20.00-22.30, zo 12.45-14.30, ma gesloten, menu € 30 tot € 50, bus largo di torre argentina

(14) **Da Giggetto** is gespecialiseerd in de Joodse keuken. De gefrituurde artisjokken 'carciofi al guidea' zijn hier echt goed bereid.
via portico d'ottavia 21a-22, telefoon 06 6861105, open di-zo 12.15-15.00 & 19.30-23.00, ma gesloten, prijs € 10, bus largo di torre argentina

(29) Langs de flank van de Monte Testaccio ligt het restaurant **Checchino dal 1887**. Naast de typisch Romeinse gerechten die je hier eet, heb je er een ruime keuze aan wijn. Ook al is Checchino een tamelijk chic restaurant, toeristen zijn er zeker welkom.
via monte testaccio 30, telefoon 06 5746318, open di-za, 12.30-15.00 & 20.00-24.00, zo-ma gesloten, prijs menu vanaf € 31, metro piramide, bus via marmorata

(30) **Ketumbar** wordt met zijn interieur en de buitenlandse fusion keuken steeds populairder. De naam van dit stijlvolle bar-restaurant met gewelven en Indonesische meubels is het Maleise woord voor koriander. Je kunt hier zowel terecht voor een diner met Aziatische invloeden als voor het drankje na-

het eten. De prijzen zijn wat aan de hoge kant, maar het eten is goed.
via galvani 24, telefoon 06 57305338, open di-zo, aperitivo vanaf 19.30, diner 20.30-24.00, cocktailbar 19.30-24.00 (vr-za tot na middernacht), ma gesloten, prijs drankje € 5, prijs menu € 50, metro piramide

(31) De keuken bij **Osteria degli Amici** is typisch Romeins, de sfeer is warm, gezellig en zelfs een tikkeltje romantisch, wat van het restaurantje een aanrader maakt. Goed adres voor twee of een lekkere lunch onder vrienden.
via nicola zabaglia 25, telefoon 06 5781466, open ma & wo-zo 10.30-15.00 & 18.30-0.30, prijs pasta € 8, metro piramide

Shoppen

⑤ **Camiceria Bracci** is klein, fijn en vol kwaliteit. Een beetje afgezonderd van de drukke winkelstraten, kun je hier zonder probleem een mooi overhemd kopen of er één op maat laten maken. En volstaat een hemd niet, dan kun je er nog een das en boxershort bij kopen.
via dè funari 18, telefoon 06 6867768, open ma 15.30-19.30, di-zo 9.30-13.30 & 15.30-19.30, bus largo di torre argentina

⑧ De bakkerij **Antico forno del Ghetto** is klein en onopvallend maar het aanbod aan heerlijke Joodse zoetigheden doet je watertanden. Al drie generaties lang houden de vrouwen hun winkeltje draaiende. Als bijnaam kreeg de bakkerij 'verbrande oven' omdat veel van hun gebak lichtjes is aangebrand zodat de suiker bovenaan karamelliseert. De ricottataart is heerlijk.
piazza costaguti 30-31 (op de hoek van via del portico d'ottavia), telefoon 06 68803012, open zo-do 8.00-19.30, vr 8.00-15.30, bus teatro marcello, bus largo di torre argentina

⑨ Bij **YAKY** zou je bijna vergeten dat je in Rome bent. Alles wat je hier ziet, heeft een link met China of de Aziatische cultuur in het algemeen. Deze winkel presenteert zich vooral als woonwinkel, maar heeft ook boeken over Azië en Aziatische stoffen. De mix tussen oud en nieuw is goed gelukt, met antieke beeldjes en moderne interpretaties, allemaal binnen dezelfde winkel.
via santa maria del pianto 55, telefoon 06 68807724, open ma-za 10.00-19.30, zo 10.00-13.30 & 15.00-19.30, bus largo di torre argentina

⑬ Al zeven generaties lang kun je bij **Leone Limentani** terecht voor alle mogelijke keukenspullen. In deze ondergrondse warenhuisachtige winkel zie je het allerbeste op gebied van servies en het fijnste porselein in een tijdloze stijl. Alles is hier ook goedkoper dan in de chiquere winkels in Rome.
via del portico d'ottavia 47, telefoon 06 68806686, open ma 15.30-19.30, di-vr, 9.00-13.00 & 15.30-19.30, za 10.00-19.30, bus largo di torre argentina

SILVIO
BOTTON DOWN
CLUB
5
8
9
13

㉔ **VOLPETTI**

(24) De twee broers **Volpetti** houden al sinds 1973 hun winkel vol Italiaanse lekkernijen open. Een culinair paradijs voor wie gepassioneerd is door de Italiaanse keuken. Naast een bijna oneindige keuze aan kaas en salami, verkopen de broers ook brood, zoetigheden, honing, tartufo, olijfolie, pasta en wijn.
via marmorata 47, telefoon 06 5742352, open ma-za, 8.00-14.00 & 17.00-20.15, metro piramide

(32) In **Oblò Design** vind je mooie woonspullen, allemaal vervaardigd uit Italiaanse materialen. Architect en ontwerper Fabio Masotti wil op die manier niet alleen de productiviteit van zijn land ondersteunen, maar ook zijn eigen stempel drukken op de wereld van design. In zijn winkel kun je zowel meubilair, verlichting als keramische borden kopen.
via maestro georgio 18, telefoon 06 57287705, open ma-vr 16.00-20.00, za 9.30-13.00, metro piramide

Leuk om te doen

(2) Kijk niet vreemd op van het grote aantal katten dat je hier aantreft. Er wordt voor ze gezorgd door de **Torre Argentina kattenopvang**. Silvia en Lia, twee deftige Romeinse dames, besloten in 1994 dat er meer gedaan moest worden voor de zwerfkatten. Inmiddels worden ze bijgestaan door vrijwilligers.
largo di torre argentina (hoek via arenula en via florida), www.romancats.com, open dagelijks 12.00-18.00, om 16.00 rondleiding in het engels, gratis, vrijwillige bijdrage gevraagd, bus largo di torre argentina

(12) Het vredige eilandje **Isola Tiberina** te midden van de chaos van de stad is de ideale plek om van rust en hopelijk ook zon te genieten. Vooral op de dijk die het eiland omringt, is het zalig zonnebaden. De brug **Ponte Fabricio** van het Ghetto naar het eiland is de enige Romeinse brug die nog volledig intact is en stamt uit 62 voor Christus. In de derde eeuw voor Christus stond hier een tempel gewijd aan een heilige slang die Rome tegen de pest had beschermd. Nu vind je er een ziekenhuis.
isola tiberina, lungotevere piereoni of lungotevere di anguillara, bus largo di torre argentina

(21) De rozentuinen **Roseto Comunale** zijn in mei en juni, wanneer de bloemen in bloei staan en de tuinen open zijn voor het publiek, een geliefde plek voor een wandeling. In juni is zelfs de speciale kleinere wedstrijdtuin geopend. De tuinen liggen op de plaats van het voormalige joodse kerkhof en dit wordt herdacht doordat de paden en planten (van boven gezien) in de vorm van een menora, een zevenarmige kandelaar, aangelegd zijn.
ingang via clivia dei public en via di valle murcia, open midden mei t/m midden juni, 9.00-zonsondergang, entree gratis, metro circo massimo

(23) De ridders van de Maltezer Orde, die vroeger de kruistochten organiseerden, hebben hun eigen soevereine staat op het **Piazza dei Cavalieri di Malta**. Op de vredige, groene heuvel Aventijn hebben ze een eigen staatshoofd en het recht om hun eigen paspoorten en nummerborden te verstrekken. Door het sleutelgat van de kloosterkerk heb je een uniek zicht over de Sint-Pieter, zeker 's avonds als de koepel verlicht is.
piazza dei cavalieri di malta 4, telefoon 06 5779193, www.orderofmalta.org, metro circo massimo

12

2

21

Ghetto, Caracalla & Piramide

WANDELING 4

Neem de bus naar Largo di Torre Argentina voor de Area Sacra dell'Argentina ① en de kattenopvang ❷. Loop door Via Vittorio Emanuele en ontdek de fresco's in de Chiesa del Gésu ③. Steek de Piazza del Gesù over en neem het straatje Via di Celsa dat je brengt tot bij het museum Crypta Balbi ④. Ga Via Michelangelo Caetani in. Op het pleintje aan het einde van de straat zie je links het kleinste hemdenwinkeltje van de stad ⑤. Sla hier rechtsaf naar Piazza Mattei ⑥. Neem Via della Reginella tot aan de hoofdstraat van het Ghetto, Via Portico d'Ottavia ⑦ ⑧ ⑨. Vervolg je route naar Piazza delle Cinque Scole. Vlakbij ligt het restaurant Piperno ⑩. Loop door tot aan Lungotevere dei Cenci, sla links af en wandel tot aan de sinagoge en bijbehorend museum ⑪. Wil je even uitrusten, loop dan naar Isola Tiberina ⓬ of neem de eerste straat na de sinagoge links tot aan Largo 16 Ottobre 1943 voor keukenspullen ⑬ of de Romeinse keuken ⑭. Daal hier af voor de ruïnes van Teatro Marcello ⑮, loop langs het theater en sla bij de uitgang van de ruïnes, in Via del Teatro di Marcello, rechtsaf tot je rechts de tempels van het Forum Boarium ⑯ ziet. Steek de straat over naar de Bocca della Verità en de aangrenzende kerk ⑰. Daarna loop je naar Via del Velabro waar, achter de Arco di Giano, het kerkje San Giorgio al Velabro ⑱ ligt. Ga voorbij de kerk rechtsaf, door Via San Teodoro en sla op het einde links af naar Circo Massimo ⑲. Loop tot op het einde van de racebaan, ga Piazza Porta Capena over en loop Viale Terme di Caracalla in tot aan de ruïnes van de Terme di Caracalla ⑳. Loop nu terug richting Circo Massimo en beklim links van het Circus Via dei Cerchi. Bij Piazzale Ugo La Malfa, sla je links af naar Via di Valle di Murcia tot aan de beroemde tuinen van het Roseto Communale ㉑. Loop verder de heuvel op langs de sinaasappeltuin ㉒. Op het einde van de straat vind je het beroemde sleutelgat ㉓. Daal daarna Via Porta Lavernate af tot aan Via Marmorata. Bewonder de lekkernijen in de vitrine bij Volpetti ㉔ en loop richting de Piramide ㉕. Sla rechts Via Caio Cestio in en bezoek het Cimitero Acattolico ㉖. Als je uit het kerkhof komt, ga je linksaf tot aan het einde van de straat. Steek de straat over, en daal de trapjes af tot in Via Monte Testaccio, de uitgaansbuurt van Rome. Loop rond de Monte Testaccio ㉗, ga op zoek naar de scherven van de berg, en loop tot aan Piazza Orazio Giustiniano met het museum voor moderne kunst ㉘. Nu ben je in het hart van de arbeiderswijk Testaccio met tal van restaurantjes, bars en winkels ㉙ ㉚ ㉛ ㉜.

1. Area Sacra dell'Argentina
2. Torre Argentina kattenopvang
3. Chiesa del Gesù
4. Crypta Balbi
5. Camiceria Bracci
6. Piazza Mattei
7. Il Portico
8. Antico forno del Ghetto
9. YAKY
10. Piperno
11. Sinagoga & Museo della Comunità Ebraica
12. Isola Tiberina & Ponte Fabricio
13. Leone Limentani
14. Da Giggetto
15. Teatro Marcello
16. Forum Boarium
17. Bocca della Verità & Santa Maria in Cosmedin
18. La Basilica di San Giorgio al Velabro & Arco di Giano
19. Circo Massimo
20. Terme di Caracalla
21. Roseto Comunale
22. Giardino degli Aranci
23. Piazza dei Cavalieri di Malta
24. Volpetti
25. Piramide
26. Cimitero Acattolico
27. Monte Testaccio
28. MACRO Future
29. Checchino dal 1887
30. Ketumbar
31. Osteria degli Amici
32. Oblò Design

Vaticaan & Piazza Navona

Religie, Justitie en plezier!

Rome is al een bijzondere stad, maar een land binnen een land is wel heel speciaal. De rijkdom van het Vaticaan is eeuwenlang geïnvesteerd in kunstwerken en veel van die kunstwerken zijn in de Musei Vaticani en de Basilica di San Pietro (de Sint-Pieter) te zien. Ook als je geen groot kunstliefhebber bent, is dit een interessante buurt want je kunt leuk winkelen in de straten rondom het Vaticaan, vooral in de Via Cola di Rienzo.

5

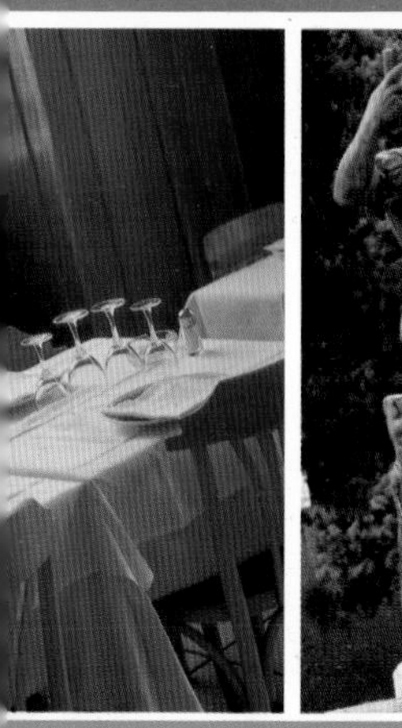

Aan de overkant van de Tiber leiden smalle kronkelende straatjes naar het Piazza Navona. Vroeger was dit de favoriete plek van de jonge rijken op hun 'Grand Tour' door Europa. Tegenwoordig maken mensen er 's middags een wandelingetje of gaan ze er 's avonds uit. Aan de Via del Governo Vecchio vind je leuke winkels van ontwerpers of met tweedehands spullen en op het Piazza Navona kun je lekker op een terrasje zitten en naar de straatartiesten kijken - en hun publiek. Op het plein en in het gebied eromheen zijn veel kerken, fonteinen en musea. Dit is ook 's avonds een levendige buurt, met veel restaurants en bars. Het enige nadeel is eigenlijk dat er te veel is om te kiezen.

6x zeker doen volgens de locals!

Basilica di San Pietro

De Pietà van Michelangelo bewonderen.

Mandarina Duck

De kleurrijke handtassen bekijken.

Castel Sant'Angelo

Genieten van het schitterende uitzicht.

Da Baffetto

Een heerlijke pizza eten.

Caffé Dart

Koffiedrinken in de oude kloostergangen.

Piazza Navona

De sfeer proeven op het plein.

- **Bezienswaardigheden**
- **Shoppen**
- **Eten & drinken**
- **Leuk om te doen**

Bezienswaardigheden

① De zuilengang op het **Piazza San Pietro** is het meesterwerk van Bernini. Tussen 1655 en 1667 werkte hij eraan en zorgde ervoor dat door het midden van de colonnade koetsen konden rijden. In totaal staan er 284 zuilen, verdeeld over 4 rijen. Ga zeker op zoek naar de cirkelvormige stenen die tussen de obelisk en de fonteinen liggen. Als je erop gaat staan, dan zie je hoe de vier rijen zuilen versmelten tot één. De obelisk in het midden van het plein is hier het oudste monument en werd door keizer Caligula van Egypte naar Rome gebracht in 36 na Christus. De obelisk doet ook dienst als zonnewijzer: als de schaduw de witmarmeren schijf raakt, dan is het middag.
piazza san pietro, metro ottaviano

② De **Basilica di San Pietro** of Sint-Pieter, het hart van de katholieke wereld, werd gebouwd op de graftombe van de heilige Petrus en is de grootste kerk ter wereld. Omdat de verhoudingen zo goed kloppen merk je niet direct hoe groot de kerk eigenlijk is. De kerk is 136 meter hoog, vanaf de vloer tot het kruis boven op de koepel, en dat is drie maal de hoogte van het Colosseum. Het baldakijn van Bernini in het midden, gemaakt van brons dat van het dak van het Pantheon is gehaald, is alleen al dertig meter hoog.
De plek waar de kerk nu staat werd al vóór de komst van het christendom gebruikt voor religieuze doeleinden, maar het was paus Julius II die in 1506 de opdracht gaf tot de bouw van de huidige kerk. Hij riep de hulp in van kunstenaars als Bramante, Rafaël, Peruzzi, Sangallo en Michelangelo. Zelf stierf hij voor de koepel klaar was. De Pietà, in de eerste kapel aan de rechterkant en sinds een mislukte aanslag achter kogelwerend glas, is erg indrukwekkend. Het is het enige beeld dat Michelangelo ooit signeerde. Niemand geloofde immers dat zo'n jonge man zoiets had kunnen maken. Als je de basiliek wilt bezoeken, kleed je dan volgens de voorschriften: geen blote benen of schouders.
piazza san pietro, telefoon 06 69884676, www.saintpetersbasilica.org, open dagelijks, apr-sep 7.00-19.00, okt-ma 7.00-18.00, gratis, metro ottaviano

(3) Het uitzicht vanaf de **Cupola di San Pietro**, de koepel, is echt de moeite waard. Je kunt alles te voet doen of de lift nemen tot het eerste uitkijkpunt op 53 meter. Hier loop je langs een galerij aan de basis van de koepel, hoog boven de mensen in de kerk. Daarna klim je naar de top via een trap binnen in de koepel. Doe het rustig aan, want als je alles te voet doet heb je vijfhonderd treden te gaan. Eenmaal op de top heb je een prachtig uitzicht.
piazza san pietro (ingang rechts van de hoofdingang van de kerk), telefoon 06 69884676, www.saintpetersbasilica.org, open dagelijks, apr-sep 8.00-18.00, okt-ma 8..00-16.45, entree te voet € 5, met de lift € 6, metro ottaviano

(4) Het **Cimitero Tedesco of Campo Santo** is het kleinste kerkhofje van Rome en ligt binnen de muren van het Vaticaan. Eigenaardig genoeg maakt het geen deel uit van het Vaticaan, maar is het eigendom van de Duitse, Nederlandse en Belgische staat. Het kerkhof is dus een stukje buitenland in het Vaticaan en is nog steeds in gebruik. Om dit kleine kerkhofje te bezoeken, hoef je alleen maar toegang te vragen aan de Zwitserse wacht. Als Belg of Nederlander mag je normaal gesproken altijd binnen. In theorie moet je je identificeren maar daar trekken de wachters zich vaak niet veel van aan.
piazza san pietro (poort helemaal links achter de linkse zuilengang), open dagelijks 7.00-12.00, entree gratis, metro ottaviano

(6) De **Sixtijnse Kapel** moet je uiteraard zien, maar sla de rest van de **Musei Vaticani** niet over! Het is het grootste, rijkste en indrukwekkendste museumcomplex ter wereld met ruim 1400 zalen. Je vindt er schilderijen, Griekse en Romeinse beeldhouwwerken, uitgebreide Egyptische en Etruskische afdelingen, het missionarissenmuseum van etnologie en natuurlijk verschillende appartementen van de pausen, zoals de Stanze di Rafaello of het Appartamento Borgia. De Sixtijnse Kapel blijft natuurlijk het hoogtepunt met prachtige fresco's die de muren en het plafond bedekken. De bekendste is die van Michelangelo: op de altaarwand schilderde hij 'Het Laatste Oordeel'. Als je flink wat van het museum wilt zien, moet je er zeker een paar uur voor uittrekken.
viale del vaticano, telefoon 06 69883041, www.vaticanstate.va, open ma-za 8.30-18.00 (geen toegang na 16.00), iedere laatste zondag van de maand 8.30-14.00 (geen toegang na 12.30), entree € 14 (laatste zondag van de maand gratis), metro ottaviano

BASILICA DI SAN PIETRO ②

(12) Het **Palazzo di Giustizia**, justitiepaleis, is een indrukwekkend wit gebouw gelegen langs de Tiber. Door de overweldigende versieringen, de strakke lijnen en de grootte van het gebouw kreeg het justitiepaleis snel de bijnaam 'palazzaccio', het lelijke paleis. Architect Calderini werkte er 22 jaar aan en kreeg het in 1910 eindelijk af.
lungotevere prati, geen toegang, bus piazza cavour

(16) Het **Castel Sant'Angelo** is gebouwd als mausoleum voor keizer Hadrianus, maar sinds de ondergang van het Romeinse Rijk is het onder andere gebruikt als gevangenis, fort en nu als museum met een fraaie verzameling keramiek, wapens en renaissanceschilderijen. Om te zien hoe het in elkaar zit en voor een schitterend uitzicht, kun je het beste van de kelder naar het dakterras lopen. Het stijgende, spiraalvormige pad dateert uit de tijd van Hadrianus en is nog deels toegankelijk. Die brengt je naar de centrale binnenplaats waar een beeld van de aartsengel Michaël staat. Een andere aartsengel staat boven op het fort samen met de 'Klok der Genade' die vroeger werd geluid als een executie zou plaatsvinden.
lungotevere castello 50, telefoon 06 6819111, www.galleriaborghese.it, open di-zo 9.00-19.30 (geen toegang na 18.30), entree € 5, metro ottaviano

(18) De voetgangersbrug **Ponte Sant'Angelo** is een van de mooiste bruggen over de Tiber. Hoog boven je zie je de engelen van Bernini. Deze brug werd in 1450 gebouwd nadat de oude Romeinse brug deels was ingestort. Het gewicht van de pelgrims die de tombe van Hadrianus tijdens dat jubileumjaar wilden zien, werd de brug fataal.
ponte sant'angelo, tussen lungotevere vaticano & lungotevere degli altoviti metro ottaviano

(27) De kerk van **Santa Maria della Pace** heeft een ronde zuilengalerij bij de ingang en ligt vlak bij het Piazza Navona, een beetje verstopt aan het eind van de straat. Hiernaast, in de **Chiostro del Bramante**, die veel groter lijkt dan hij eigenlijk is, worden exposities gehouden.
via della pace, telefoon chiostro 06 68809035, www.chiostrodelbramante.it, kerk onregelmatig open, chiostro open di-vr 10.00-20.00, za 10.00-22.00, zo 10.00-21.00, entree di € 7, wo-vr € 9, za-zo € 10, bus corso rinascimento

FONTANA DEI QUATTRO FIUMI ㉜

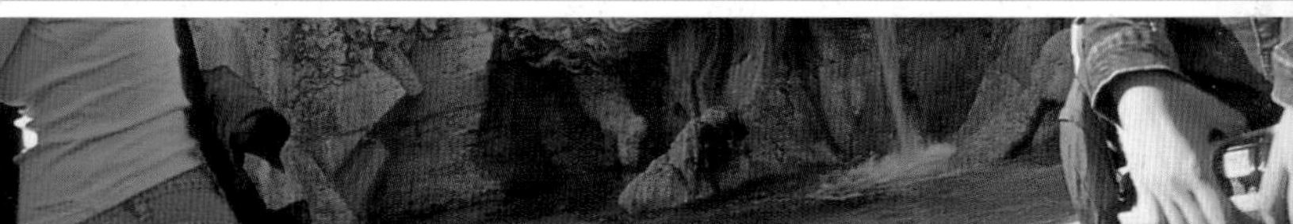

(30) Het **Piazza Navona** is geliefd bij kunstenaars. Het is een van de beroemdste pleinen van Rome. Het is ovaal van vorm omdat het op de resten van een Romeins atletiekstadion, het Stadio di Domiziano, gebouwd is. Tot het eind van de vijftiende eeuw werden er nog feesten, wedstrijden en zelfs toernooien gehouden, maar toen werd het geplaveid en tot openbaar plein gemaakt. In de crypte van de kerk Sant'Agnese in Agone en bij een gebouw net buiten Piazza Navona op het Piazza Tor Sanguigna, kun je nog enkele resten van het stadion ontdekken.
piazza navona, bus corso rinascimento

(32) De **Fontana dei Quattro Fiumi**, midden op het Piazza Navona, staat symbool voor de vier rivieren die in de zeventiende eeuw het belangrijkst waren: de Nijl, de Ganges, de Donau en de Rio Plata. Je ziet een paard, een leeuw, een slang en een ietwat vreemde krokodil die de obelisk, afkomstig uit het Circo Massimo, omringen. De fontein is ontworpen door Bernini en er bestaan allerlei verhalen over de rivaliteit tussen Bernini en de architect Borromini, die de nabijgelegen kerk Sant'Agnese in Agone ontworpen heeft. Een van de verhalen vertelt dat de rivier de Nijl tegenover de kerk zijn gezicht bedekte om de lelijke kerk maar niet te hoeven zien en dat Borromini hierop reageerde door één enkel standbeeld, dat nadrukkelijk van de fontein wegkijkt, in een buitengevel van de kerk te plaatsen.
piazza navono, bus corso rinascimento

(33) De **Sant'Agnese in Agone** is volgens de legende gebouwd op de plek waar de Heilige Agnes naakt tentoongesteld werd omdat ze als christen niet in wilde gaan op de avances van een heiden. Door een wonder groeide Agnes' haar heel snel waardoor ze haar lichaam kon bedekken, maar ze werd alsnog doodgemarteld. De kerk is een mooi voorbeeld van de barokke architectuur van Borromini.
piazza navona, telefoon 06 68192134, open ma-za 9.00-12.00 & 16.00-19.00, zon- en feestdagen 10.00-13.00 & 16.00-20.00, gratis, bus corso rinascimento

Eten & drinken

⑤ Een onopvallende maar beroemde ijsbar in de buurt van het Vaticaan is **Old Bridge**. Ook 's avonds laat staat hier vaak nog een lange rij. Eigenaar Gianluca Mereu beschouwt zijn 'gelateria' niet alleen als de perfecte pauze tijdens een bezoek aan het Vaticaan, maar ook als een ontmoetingplaats voor de Romeinen uit de buurt. Heb je echt veel zin in een ijsje, dan kun je je altijd wagen aan de Old Bridge Extra Large!
via bastioni di michelangelo 5, telefoon 06 38723026, onregelmatig open, hoorntje met twee smaken € 1,50, metro ottaviano, bus piazza del risorgimento

⑧ **Il Matriciano** is een ideale plek om de Romeinse keuken in al zijn eenvoud te proeven. Je hebt hier eigenlijk geen menukaart nodig, je neemt gewoon de 'pasta all' amatriciana', genoemd naar het restaurant. Het is een eenvoudige saus met spek en tomaten maar absoluut verrukkelijk. Ook de ravioli gevuld met romige ricotta en de groentesoep zijn aanraders.
via dei gracchi 55, telefoon 06 3212327, open ma-di & do-zo, 12.30-14.30 & 20.00-23.30, woensdag gesloten, prijs € 8,50, metro ottaviano

⑬ **Naboo** kun je met drie woorden omschrijven: ongewoon, trendy en kleurrijk. Om de twee uur veranderen de grote spots het erg minimalistische interieur van kleur, terwijl je van de klassieke Italiaanse keuken proeft. Chef Filippo Paolini probeert zijn traditionele gerechten telkens wat te vernieuwen met een verfrissend detail. Wil je na het eten nog even bijkletsen met een drankje, dan kun je altijd terecht in de Naboo cocktailbar.
via p. cossa 51b, telefoon 06 36003616, open di-za 20.00-24.00, zo-ma gesloten, prijs € 12, bus piazza cavour, metro ottaviano

(14) Helemaal gerenoveerd is **Clok** een van de hipste adresjes in Rome. Je kunt er zowel terecht voor een lekkere lunch als voor een aperitief of een uitgebreider avondmaal. Ook al is het restaurant erg modern ingericht, er blijft een aangename sfeer hangen. De warme belichting, de organische materialen en de verzorgde keuken maken van Clok zeker een aanrader voor wie op zoek is naar iets vernieuwends.
via vittoria colonna 21, telefoon 06 3200230, open ma 13.00-15.30, di-vr 13.00-15.30 & 20.00-2.00, za 20.00-2.00, zo 20.00-24.00, prijs € 15, bus piazza cavour, metro ottaviano

(21) Eenvoud siert. Het zou de lijfspreuk van het restaurantje **Da Alfredo & Ada** kunnen zijn. Hier voeren drie kloeke vrouwen op leeftijd de plak! Vanuit de kleinst indenkbare keuken toveren ze lekkere, eenvoudige en typisch Italiaanse gerechten tevoorschijn. Het is alsof je bij je Romeinse grootmoeder aan tafel schuift. Ook de 'vino della casa' mag er wezen. Die is van eigen makelij en wordt overgebracht van de Castelli Romani net buiten Rome.
via dei banchi nuovi 14, telefoon 06 878842, open ma-vr 12.00-15.00 & 19.00-22.30, prijs € 7, bus piazza chiesa nuova

(22) **Caffè Novecento** is heel klein, maar hun huisgemaakte zoetigheden zijn om je vingers bij af te likken. Je kunt hier terecht voor een lekker kopje thee, maar elke dag tussen 12.00 en 16.00 uur kun je proeven van een buffet met quiches, salades en andere lichte maaltijden.
via del governo vecchio 12, telefoon 06 6865242, di-zo 9.00-20.00 (zo vanaf 15.00 alleen sala di té), prijs quiche € 8, bus piazza chiesa nuova

(23) De beste pizza's in Rome krijg je bij **Da Bafetto**. In de jaren zestig was dit een trefpunt voor radicalen maar nu vecht iedereen voor een tafeltje. Wie niet op tijd komt staat er gegarandeerd tussen de Romeinen in de rij. De obers staan niet echt bekend om hun beleefdheid, ze zijn juist beroemd om hun grofheid. Binnen zit je een beetje krap, en voor een plaatsje op het terras is het nog meer dringen, maar de voortreffelijke pizza's maken veel goed.
via del governo vecchio 114, telefoon 06 6861617, open dagelijks 18.30-1.00, prijs € 7, bus piazza chiesa nuova

CAFÉ NOVOCENTO 22

㉘ CAFETTERIA DART

(24) Het aanbod aan pizza's in Rome is groot, maar een verschil in kwaliteit is er zeker. Lekkere pizza eet je ook bij **Pizzeria La Montecarlo**. De muren zijn helemaal bedekt met foto's van beroemde en minder beroemde gasten. Je kunt er kiezen uit een dertigtal verschillende pizza's, met pizza Montecarlo als de specialiteit van het huis: tomaat, mozzarella, paddenstoelen, artisjokken, worst, ei, paprika, ui en olijven. Je zult hierna geen honger meer hebben.
vicolo savelli 11-13, telefoon 06 6861877, open di-zo 12.00-15.30 & 18.30-1.00, prijs € 6, bus piazza chiesa nuova

(25) Zet je mooiste zonnebril op en ga rustig zitten om van je cappuccino te genieten bij **Antico Caffè della Pace**. Dit is dé plek om mensen te bekijken en sfeer te proeven. Je weet nooit wie je er kan tegenkomen want ook de mensen uit de showbizz, zoals Mel Gibson, Madonna en Robert De Niro, komen hier graag als ze in Rome zijn. Dit café in art-nouveaustijl zit hier al eeuwenlang en is een blijvertje.
via della pace 3-7, telefoon 06 6861216, open dagelijks 9.00-2.00, prijs € 3, bus chiesa nuova of corso rinascimento

(28) Onder de gewelven van het Chiostro del Bramante vind je **Caffetteria Dart**. Om er te komen, moet je de ingang van het museumcomplex ernaast nemen. Laat je hierdoor niet afschrikken want ook zonder museumbezoek mag je hier iets drinken of eten. Het is er rustig en mooi zitten, met zicht op de binnenplaats van het klooster. Je kunt hier lunchen of van een koffie genieten. Op zaterdag en zondag doen ze ook brunch.
via della pace, telefoon 06 68809035, open di-zo 10.00-19.30, lunch 12.00-15.00, za-zo brunch 10.00-15.00, prijs broodje € 8, bus piazza chiesa nuova of corso rinascimento

(31) Bij een bezoek aan Piazza Navona hoort een bezoek aan **I Tre Scalini**. Hier wordt volgens velen het beste Tartufo-ijs gemaakt in heel Rome. Hoewel er altijd obers klaarstaan om je naar het terras te lokken, loop je gewoon naar binnen en vraag je een ijsje om mee te nemen! Niets leuker dan genieten van je Tartufo-ijs in de schaduw van Bernini's fontein.
piazza navona 28-32, telefoon 06 68801996, open dagelijks 9.00-1.00, klein ijsje € 2,50, bus largo di torre argentina, bus corso rinascimento

Shoppen

⑨ **Mandarina Duck** is bedacht door een aantal Italiaanse ontwerpers. Ze maken felgekleurde leren en plastic accessoires, voornamelijk tassen. Deze bijzondere exemplaren zijn zeker niet goedkoop, maar zie het als een investering.
via cola di rienzo 303-308, telefoon 06 6896491, open ma 15.30-19.30, di-zo, 10.00-14.00 & 15.30-19.30, metro ottaviano

⑩ Wil je na een dag lopen jezelf verwennen met een lekker geurtje, dan kun je bij **Sabon** wel iets vinden. In het mooi afgewerkte houten interieur, vind je allerlei zeepjes, douchegels, handcrèmes en parfums.
via cola di rienzo 241, telefoon 06 3208653, open ma-za 10.00-20.00, zo 15.30-20.00, metro ottaviano

⑪ **Castroni** is een ouderwetse delicatessenzaak, vol lekkere dingen uit Italië maar ook uit andere landen zoals Japan, Griekenland, Thailand, de Filippijnen... Die internationale afdeling is erg belangrijk voor de buitenlanders in Rome die heimwee hebben. Als je hier binnenstapt, is het niet alleen een lust voor het oog, maar je keert ook terug in de tijd. Het houten interieur neemt je zo mee naar de jaren vijftig. Er is ook een bar met verschillende soorten koffie.
via cola di rienzo 196-198, telefoon 06 6874383, open dagelijks, 8.00-20.00, metro ottaviano, bus piazza del risorgimento

⑲ In het winkeltje en atelier **Yarn Textile Art** vind je allerlei originele handgemaakte sjaals, hoedjes, kleding, tassen en pantoffels. Boven in de winkel breit en naait Rita Miliani in haar atelier alle artikelen in elkaar, terwijl dochter Elisabetta de ontwerpen bedenkt. Een perfect team, zo lijkt het!
via dei banchi nuovi 1, telefoon 06 68135765, open ma 17.00-19.30, di-za 10.00-13.30 & 15.00-19.30, bus piazza chiesa nuova

11
9
too
much
26
29

(20) Bij **Linn-Sui** vind je eenvoudig maar stijlvol meubilair, vervaardigd uit bio-ecologische materialen. De nadruk ligt op bedden, sofa's en alles wat met ontspanning te maken heeft, maar je ziet er ook gordijnen, kastjes, tapijten en slippers. Het is leuk rondkijken!
via dei banchi nuovi 37-38, telefoon 06 6833406, open ma 16.00-19.30, di-za 10.00-13.00 & 16.00-19.30, zo gesloten, bus piazza chiesa nuova

(26) Verscholen in een hoekje van de Via della Pace dicht bij de Piazza Navona vind je **D Cube**, een klein designwinkeltje. Na een dag ronddolen in het antieke Rome is het een leuke afwisseling even naar alle nieuwste accessoires op het gebied van interieur en huishouden te kijken. Naast de grotere merken als Zack Design en Asa, kun je er ook terecht voor sfeerverlichting van Millefiori Milano en fotolijsten van Pylones. Ook boeken over interieur en architectuur zijn er te verkrijgen.
via della pace 38, telefoon 06 6861218, open dagelijks 11.00-21.00, bus corso rinascimento, bus chiesa nuova

(29) **Too Much** is er speciaal voor mensen die alles al hebben. Je vindt er de mafste spulletjes voor in huis, grappig briefpapier, pennen in alle kleuren van de regenboog, gekke tassen en allerlei felle T-shirts. De opwindbare nonnetjes zijn erg geliefd bij de pelgrims.
via santa maria dell'anima 9, telefoon 06 68301187, open zo-wo 12.00-0.00, do-za 12.00-1.00, bus corso rinascimento

Leuk om te doen

(7) Het is minder ingewikkeld dan het lijkt om de afgelegen **Giardini Vaticani** te bezoeken. Het enige dat je moet doen, is een maand tot één week van tevoren per mail reserveren bij de Guided Tour Desk. Zij sturen je dan een fax/mail ter bevestiging die je de dag van je bezoek toont aan diezelfde Desk. De rondleiding is altijd met een gids, duurt zo'n twee uur en start vanuit de Musei Vaticani. De zorgvuldig onderhouden tuinen rondom het voormalige zomerverblijf van Paus Pius IV, Casina Pius IV, zijn een oase van rust en bieden een kijkje achter de muren van het Vaticaan.
guided tour desk aan ingang musei vaticani, viale del vaticano, telefoon 06 69884676, fax 06 69884019, mail visiteguidate.musei@scv.va, www.vaticanstate.va, rondleidingen mrt-okt di & do-za 11.00, nov-feb open alleen za om 11.00, entree € 18, metro ottaviano

(15) In de kerk Sacro Cuore in Prati of Sacro Cuore del Suffraggio bevindt zich het zogenaamde **vagevuurmuseum**. Eigenlijk is het geen echt museum, maar meer een kamertje met een grote vitrine. Hier liggen enkele voorwerpen die het bestaan van het vagevuur moeten bewijzen. Het vagevuur werd in de vijftiende eeuw door paus Eugenius IV in een decreet erkend en het is de plek waar zielen nog even moeten boeten en branden voor ze definitief naar de hemel mogen.
lungotevere prati 12, telefoon 06 68806517, open ma-za 7.00-11.00 & 16.30-19.00, zon- en feestdagen 8.00-13.00 & 16.30-20.00, entree gratis, vrijwillige bijdrage gevraagd, bus piazza cavour

(17) Het park rondom het mausoleum van Hadrianus, het **Parco Adriano**, is op twee verschillende niveaus gebouwd. Op het lager gelegen deel laten mensen hun honden uit en rennen kinderen rond. Boven staan bankjes onder grote, schaduwrijke bomen. Hier worden 's zomers ook boekenmarkten en concerten gehouden.
castel sant'angelo, open zonsopgang-zonsondergang, entree gratis, metro ottaviano, bus piazza chiesa nuova

Vaticaan & Piazza Navona

WANDELING 5

Als je op het Sint-Pietersplein staat, bewonder dan eerst de zuilengang 1 rondom, en ga een kijkje nemen in de basiliek 2. Wie vol energie zit, moet zeker de koepel beklimmen 3. Om het kleine Cimitero Tedesco 4 te zien, ga je, als je uit de basiliek stapt, door de rechter zuilengalerij tot bij de Zwitserse wachten. Zo niet, loop dan door de tegenoverliggende zuilengalerij en ga verder tot aan Piazza Risorgimento. Heb je zin in een ijsje, ga er dan links van het plein bij Gelateria Old Bridge 5 eentje halen. Voor het Musei Vaticani 6 en Giardini Vaticani 7, volg je de muren van het Vaticaan tot bij de ingang. Heb je meer zin om te winkelen of te lunchen? Steek dan het plein over en sla rechts af naar Via Cola di Rienzo 8 9 10 11. Wat verder ga je rechts Via Cicerone in tot aan het justitiepaleis op Piazza Cavour 12. Hier in de buurt liggen twee hippe, moderne restaurantjes waar je kunt lunchen 13 14. Vanaf het Justitiepaleis loop je tot aan de Tiber. Wie wil kan links afslaan voor het Vagevuurmuseum 15. Zo niet, steek dan via Lungotevere over, en loop rechts verder langs de Tiber naar Castel Sant'Angelo 16 en Parco Adriano 17. Steek de Ponte Sant'Angelo over 18, Banco di Santo Spirito in. Ga linksaf het winkelstraatje Via Banchi Nuovi 19 20 21 in, die overgaat in Via del Governo Vecchio. Stop als je wilt voor een kop thee of een taartje 22. Op de hoek met Via Sora vind je Da Bafetto 23. Zit die vol, dan kun je ook lekkere pizza eten bij Pizzeria Montecarlo 24. Neem Via delle Parione, die overgaat in Via della Pace. Aan de linkerzijde ligt een gezellige buurt om te winkelen en uit te gaan, met onder andere Antico Caffè della Pace 25 en designwinkeltje D CUBE 26. Aan het einde van de Via della Pace vind je de kerk Santa Maria Della Pace 27, met binnenin het Caffetteria Dart 28. Daarna neem je Via di Tor Millina, en loop je langs de etalage van Too Much 29, richting Piazza Navona 30. Stap het plein op; meteen links ligt I Tre Scalini 31. Bekijk de Fontana dei Quattro Fiumi 32 en de Sant'Agnese in Agone 33. Geniet tenslotte van de sfeer en de vele straatartiesten.

1. Piazza San Pietro
2. Basilica di San Pietro
3. Cupola di San Pietro
4. Cimitero Tedesco of Campo Santo
5. Gelateria Old Bridge
6. Sixtijnse Kapel & Musei Vaticani
7. Giardini Vaticani
8. Il Matriciano
9. Mandarina Duck
10. Sabon
11. Castroni
12. Palazzo di Giustizia
13. Naboo
14. Clok
15. Vagevuurmuseum
16. Castel Sant'Angelo
17. Parco Adriano
18. Ponte Sant'Angelo
19. Yarn Textile Art
20. Linn-Sui
21. Da Alfredo & Ada
22. Caffè Novecento
23. Da Bafetto
24. Pizzeria La Montecarlo
25. Antico Caffè della Pace
26. D Cube
27. Santa Maria della Pace & Chiostro del Bramante
28. Caffetteria Dart
29. Too Much
30. Piazza Navona
31. I Tre Scalini
32. Fontana dei Quattro Fiumi
33. Sant'Agnese in Agone

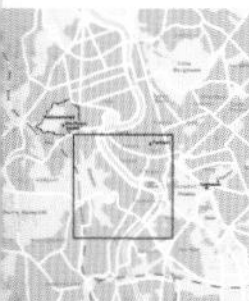

Campo de'Fiori & Trastevere

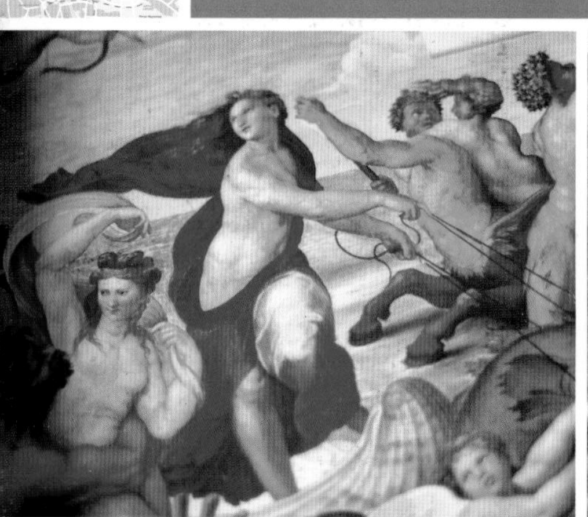

Zorgeloos verdwalen langs de oevers van de Tiber.

Het Piazza Campo de'Fiori is altijd levendig. Of het nu de marktkraampjes zijn in de ochtend, het winkelende publiek 's middags of de nachtdieren laat op de avond, er is hier altijd iets te doen. Maak een keuze uit een van de trendy of traditionele restaurants en bars en geniet. Op de Via dei Baullari en de Via dei Giubbonari vind je een goede mix van vrijetijdskleding en chique boetieks.

Trastevere, aan de overkant van de Tiber, lijkt op het eerste gezicht een dorpje buiten Rome. Maar de slaperige sfeer die overdag over deze buurt hangt, is 's nachts volkomen verdwenen: de smalle straatjes zien dan zwart van de mensen.

6

Tussen de historische kerken en restaurantjes speelt zich een bruisend nachtleven af. Er zijn twee andere belangrijke bezienswaardigheden in deze buurt. De eerste is de Porta Portese vlooienmarkt op zondagochtend. Let hier wel op je portemonnee, er zijn hier nogal wat zakkenrollers actief. De tweede is de Janiculus (Gianicolo) heuvel die hoog boven de rest van de buurt uittorent. Vanaf het plein op de top van de heuvel heb je een prachtig uitzicht.

6x zeker doen volgens de locals!

Via Giulia

Door de mooie renaissancestraat slenteren.

Il Forno di Campo de'Fiori

Een stuk Pizza Bianca kopen.

Freni & Frizioni

Onbeperkt proeven van het aperitiefbuffet.

Santa Maria in Trastevere

De mozaïeken bekijken.

Porta Portese

Tussen de spulletjes neuzen op de vlooienmarkt.

Gianicolo

Genieten van het uitzicht op de heuvel.

- **Bezienswaardigheden**
- **Shoppen**
- **Eten & drinken**
- **Leuk om te doen**

Bezienswaardigheden

① De **Chiesa Nuova**, de nieuwe kerk, was vroeger de zetel van de orde van de heilige San Filippo Neri, een van de belangrijkste vertegenwoordigers van de Contrareformatie. De paus erkende de orde onder de naam de Oratorianen, en gaf hen in 1574 de vervallen kerk Santa Maria in Vallicella. De orde renoveerde de kerk naar het voorbeeld van de Chiesa del Gesù, die toen net gebouwd was. In de daaropvolgende eeuwen werden er steeds nieuwe dingen toegevoegd, waaronder de fresco's van Pietro da Cortona op het plafond en de schilderijen van Peter Paul Rubens boven het altaar.
piazza della chiesa nuova, telefoon 06 6875289, open ma-za 7.30-12.00 & 16.30-19.15, zo 8.00-13.00 & 16.30-19.15, bus piazza chiesa nuova

⑥ De Fransen hadden met het **Palazzo Farnese** geen mooiere plek voor hun ambassade uit kunnen kiezen. In 1514 werd er opdracht gegeven tot de bouw van het paleis, maar het duurde zestig jaar voordat het klaar was. Een hele reeks architecten, onder wie Michelangelo en Giacomo della Porta, werkten eraan mee. De granieten kuipen die nu ter versiering op het plein staan, stonden ooit in de thermen van Caracalla (zie pagina 83).
piazza farnese, niet geopend voor het publiek, bus piazza chiesa nuova

⑮ In het Palazzo Spada vind je de **Galleria Spada** en de Italiaanse Consiglio di Stato, het adviesorgaan voor de regering. De Galleria herbergt veel Italiaanse werken uit de zestiende en zeventiende eeuw. Het is de collectie van kardinaal Spada en in 1632 opgezet als een particulier kunstkabinet, met meer nadruk op de decoratieve waarde dan op de regels van de kunstgeschiedenis. Het 'Palazzo' is beroemd om zijn staaltje gezichtsbedrog door een acht meter lange zuilengang die wel vier keer zo diep lijkt. Ook het beeld aan het einde van de doorgang is kleiner dan het lijkt. Borromini ontwierp deze natuurgetrouwe schildering met de hulp van een wiskundige.
piazza capo di ferro 13, telefoon 06 6861158, www.galleriaborghese.it, open di-zo 8.30-19.30, entree € 5, 18-25 jaar € 2,50, bus largo di torre argentina

(20) In een sfeervol hoekje van Trastevere, net voor de botanische tuinen staat **Galleria Corsini**. Het toont een deel van de Galleria Nazionale d'Arte Antica, de rest is in het Palazzo Barberini (zie pagina 19). Je ziet er schilderijen uit de zestiende en zeventiende eeuw van Italianen maar ook van buitenlanders zoals Rubens en Van Dyck. Deze schilderijen laten duidelijk een strakkere classicistische stijl zien als reactie op de overdadige barok.
via della lungara 10, telefoon 06 68802323, www.galleriaborghese.it, open di-zo 8.30-19.30, entree € 4, 18-25 jaar € 2, tram viale trastevere

(21) **Villa Farnesina** is om verschillende redenen een bezoek waard. Je vindt er renaissance architectuur, geometrische tuinen en fresco's van Peruzzi en Rafaël. De opdrachtgever, de rijke bankier Agostini Chigi, liet in de ene kamer fresco's aanbrengen van zijn naakte minnares die met Cupido en Psycho aan het spelen was, terwijl zijn vrouw waarschijnlijk model stond voor de muurschildering 'Het huwelijk van Alexander en Roxane' in de slaapkamer.
via della lungara 230, telefoon 06 69980313, open ma-za 9.00-13.00, entree € 4,50, tram viale trastevere

(25) De inwoners van Trastevere vinden zichzelf Romeinser dan de Romeinen en in het **Museo di Roma in Trastevere** kun je zien waar dat gevoel vandaan komt. De permanente collectie van het museum bevat prenten uit de achttiende en negentiende eeuw die laten zien hoe de stad veranderd is.
piazza di sant'egidio, www.museodiromaintrastevere.it, open di-zo 10.00-20.00, entree € 3, 18-25 jaar € 1,50, tram viale trastevere

(27) De **Santa Maria in Trastevere** is zonder twijfel het hart van Trastevere. Volgens de overlevering is deze kerk uit de vierde eeuw de eerste christelijke kerk die in Rome werd gebouwd. De plek werd niet toevallig gekozen. In 38 voor Christus kwam rechts van waar nu het hoofdaltaar staat een dag lang een stroom olie, de 'fons olei', uit de grond. Achteraf werd dit gezien als een teken van de naderende komst van Christus. Het huidige gebouw stamt uit de twaalfde eeuw, net als de goudkleurige mozaïeken op de gevel waarop Maria met kind te zien is. De kerk is onder andere gebouwd met materiaal dat uit de thermen van Caracalla (zie pagina 83) gestolen zou zijn. De 22 zuilen in de kerk stammen allemaal uit de oudheid.
piazza santa maria in trastevere, telefoon 06 5814802, open dagelijks 7.30-13.00 & 16.00-19.00, gratis, tram viale trastevere

15

33

25

(33) Volgens de legende is de **Basilica di Santa Cecilia** gebouwd op de plaats van het huis van de Heilige Cecilia. In de derde eeuw werd zij door haar dood een martelaar. Het verhaal gaat dat Cecilia, een overtuigd christen, ter dood gebracht zou worden door haar in haar eigen bad te 'koken'. Ze bleef drie dagen lang in het hete bad, maar er gebeurde niets, waarop de Romeinse prefect haar wilde laten onthoofden. De beul slaagde er echter niet in om haar hoofd volledig van haar romp te scheiden en ze leefde nog drie dagen. Volgens het verhaal bleef ze zingen terwijl ze in bad zat en daarom is ze nu de beschermvrouwe van de muziek. De kerk werd in de negende eeuw gebouwd, maar de aanpassingen aan de gevel stammen uit de twaalfde eeuw en het interieur is voornamelijk achttiende-eeuws.
piazza di san cecilia 22, telefoon 06 5899289, open dagelijks 9.30-13.00 & 16.00-19.15, entree gratis, tram viale trastevere

Eten & drinken

(9) Zoals je aan de muren, vol houten deksels van wijnkisten, kunt zien is **Al Bric** een stijlvolle wijnbar. De wijnlijst is enorm, met meer dan tweeduizend namen en de menukaart biedt zowel traditionele als originele gerechten. Ook op zondag kun je hier lunchen.
via del pellegrino 51, telefoon 06 6879533, open di-za 19.00-23.00, zo 12.30-14.30 & 19.00-23.00, prijs pasta € 14, bus piazza chiasa nuova

(11) Vlak bij het populaire Campo de'Fiori ligt **Grappolo d'Oro Zampanò**, een kleurrijk ingerichte 'trattoria'. Zowel voor de lunch als het diner wordt deze plek door Romeinen en 'stranieri' bezocht. De traditionele Italiaanse gerechten zijn er altijd goed.
piazza della cancelleria 80-84, telefoon 06 6897080, open ma 12.30-15.00 & 19.30-23.00, di 19.30-23.00, wo-zo 12.30-15.00 & 19.30-23.00, prijs € 14, bus torre di largo argentina

(12) Bij **Ditirambo** kun je terecht voor de lekkerste gerechten met een heerlijk glas wijn. De mensen die er werken zijn vriendelijk en er wordt alles aan gedaan om de kaart authentiek maar toch creatief te houden. Dit houdt in dat je er terecht kunt voor een klassieker als 'Tonnerelli cacio e pepe', maar daarnaast verzekerd bent van diverse opties met vlees of vis. Alle ingrediënten worden met de grootste zorg uitgekozen en ook over de wijnkeuze is nagedacht.
piazza della cancelleria 74-75, telefoon 06 6871626, open di-zo 13.00-15.00 & 19.30-23.00 (zondagavond tot rond 22.00), prijs € 14, bus torre di largo argentina

(16) Wat vroeger een autogarage was, behoort nu tot de tien beste bars ter wereld. Dat beweert de Italiaanse krant Corriere della Sera, maar het kan best kloppen. **Freni e Frizioni**, remmen en koppelingen, staat om vele dingen bekend: om de lekkere 'Mojito', om de heerlijke zondagbrunch, maar vooral om het dagelijkse 'aperitief' tussen 19.00 en 23.00 uur. Voor de prijs van je drankje kun je dan onbeperkt proeven van het avondbuffet. Houd rekening met drukte, zowel binnen als buiten op het pleintje!
via del politeama 4-6, telefoon 06 58334210, open dagelijks 10.00-2.00, aperitivo 19.00-22.30, prijs cocktail € 7, tram viale trastevere

FRENI E FRIZIONI (16)

(17) **Friends Art Café** is zowel café als restaurant als cocktailbar en je kunt hier op elk moment van de dag terecht. 's Morgens staat al vroeg het ontbijt voor je klaar en aan het eind van de dag neem je er een drankje en wat hapjes. Het interieur is modern, met plexiglas en staal.
piazza trilussa 34, telefoon 06 5816111, open ma-za 7.00-2.00, zo 18.00-2.00, prijs cocktail € 8, tram viale trastevere

(23) In **Cioccolata & Vino** is het heerlijk. Het is er zo klein dat je niets anders kunt dan naar de pralines in de vitrinekast kijken. Aan de bar, onder de grote kroonluchter, kun je genieten van allerlei soorten chocoladedrankjes, koffie en wijn.
via del cinque 11a, open dagelijks 14.00-2.00, prijs warme chocolademelk € 4, tram viale trastevere

(24) **Glass** is een stukje modern design tussen de historische gebouwen van Trastevere. Het restaurant is verdeeld over twee verdiepingen en hangt vol lange moderne kroonluchters. Het contrast tussen oud en nieuw merk je ook aan de menukaart, waarmee chef Cristina Bowerman zoekt naar een evenwicht tussen traditie en vernieuwing. Leuk om weten: als je het van tevoren doorgeeft, kun je glutenvrij brood bestellen.
vicolo del cinque 58, telefoon 06 58335903, open di-zo 20.00-23.00, prijs pasta € 10, tram viale trastevere

(26) Het terras van **Ombre Rosse** is de ideale plek, in het hartje van Trastevere, om even uit te rusten en bij te kletsen met een glaasje wijn of een kop koffie. Daarnaast staat Ombre Rosse bekend als muziek- en kunstbar, waar af en toe liveconcerten worden gehouden (op vrijdagavond) en werken van jonge artiesten worden tentoongesteld. Het is er gezellig, hartelijk en heerlijk zitten.
piazza di sant'egidio 12-13, telefoon 06 5884155, open ma-za 8.00-2.00, zo 17.00-2.00, prijs bier € 5, tram viale trastevere

(30) **Pizzeria Ai Marmi** heeft niet de idyllische locatie van andere restaurants in Trastevere, maar het eten is zonder twijfel heerlijk. Bij Ai Marmi, beter bekend als 'obitorio' of lijkenhuisje vanwege de witte marmeren tafels, is pizza het enige wat telt! Als antipasto zijn de 'suppli' (rijstkroketjes) en 'fiori di zucca' (gefrituurde pompoen) aan te raden. Bereid je hier wel voor op een erg snelle en soms norse bediening, maar het feit dat je hier zelfs na middernacht nog kunt bestellen, dat je weinig betaalt en dat je altijd lekker eet, maken veel goed.
viale di trastevere 53-55, telefoon 06 5800919, open ma-di & do-zo 18.30-2.00, prijs € 7, tram viale trastevere

(32) Zie je tijdens je wandeling in Trastevere gele stoelen en oranje tafeltjes? Dan sta je bij het kleurrijke terras van **Pizza & Champagne in the living room**. Net zoals de eigenaar, zit deze kleine bar vol kleur. Kijk maar naar het rek achter de bar, dat in alle kleuren oplicht. Met allerlei panini's en pasta's op het menu, zit je hier goed voor een lekker hapje eten of een drankje.
via dei genovesi 1, telefoon 339 477 3251, open dagelijks 7.30-22.00, prijs pasta €6, tram viale trastevere

CIOCCOLATA & VINO (23)

(34) **Taverna dei Mercanti** is bijzonder met de grote fakkels buiten en de enorme gewelfde plafonds binnen. Het ziet er een beetje uit als het decor van een griezelfilm, maar de sfeer is erg gezellig en het restaurant is dan ook populair. Als je van vlees houdt en je neemt de traditionele Romeinse gerechten, dan zit je hier zeker goed. Wil je niet te veel uitgeven, dan kun je hier ook een pizza bestellen.
piazza dei mercanti 3a, telefoon 06 5881693, open di-zo 19.00-23.00, prijs pizza € 13, tram viale trastevere

Shoppen

(2) Ontwerpster Helena Stuart heeft niet alleen succes in Amerika. Haar frivole jurkjes, topjes, broekjes en negligés doen het in Rome ook erg goed. De winkel **Only Hearts** is charmant ingericht met allerlei hartvormige kussentjes, kaarsjes en romantische prullaria.
piazza della chiesa nuova 21, telefoon 06 6864647, open zo-ma 12.00-20.00, di-za 10.00-20.00, bus piazza chiesa nuova

(3) **Biblioteq** is een klein theewinkeltje met smaken uit alle hoeken van de wereld, allemaal mooi gesorteerd in verschillende potten langs de muren. Maar ook van koffie en chocolade weten ze hier veel af. Hun leuze: 'Neem genoeg tijd voor jezelf en durf te genieten!'
via dei banchi vecchi 124, telefoon 06 45433114, open ma 16.00-20.00, di-za 10.00-13.30 & 16.00-20.00, zo gesloten, bus piazza chiesa nuova

(4) Van alle kleurrijke aquarellen in het atelier van **Maria Grazia Luffarelli** word je op slag vrolijk! De kunstenares verkoopt hier haar originele werken van dieren, landschappen en bloemen voor een lage tot redelijke prijs. Een tip: enkele van haar aquarellen over Rome zijn verkrijgbaar als reproducties op ansichtkaartformaat.
via dei banchi vecchi 29, telefoon 06 6832494, open ma-za 12.00-20.00, bus piazza chiesa nuova

(7) De markt op **Campo de'Fiori** is niet de goedkoopste van Rome, maar de inwoners van het historische centrum betalen graag een beetje meer om dit instituut in leven te houden. Alle verse producten, de koppige en luidruchtige verkopers en de algehele levendigheid van deze typische Italiaanse markt zijn zeer de moeite waard. Je kunt hier niet langs lopen zonder een foto te maken of iets lekkers te kopen. Het standbeeld midden op het plein is van Giordano Bruno, een filosoof die pleitte voor scheiding van kerk en staat. Hij werd hier in 1600 wegens ketterij verbrand.
piazza campo de'fiori, open ma-za 8.00-14.00, bus largo di torre argentina

BIBLIOTEQ ③

⑧ In een hoekje van Campo de'Fiori ligt **Forno di Campo de'Fiori**. Dit kleine bakkerswinkeltje staat er al sinds 1850 en is altijd vol. Alles wat je hier koopt is lekker, maar als je dan toch moet kiezen, koop dan een stuk 'pizza bianca', pizzadeeg met rozemarijn, olijfolie en zeezout. Zoals het hier smaakt, smaakt het nergens!
campo de'fiori 22-22a, telefoon 06 68806662, open ma-za 7.30-14.30 & 16.45-20.00, bus largo di torre argentina

⑩ **Rachele** is genoemd naar de eigenares. De Zweedse ontwerpster maakt er van katoen en wol kleurrijke, originele kinderkleren in alle stijlen: van klassiek tot retro tot de laatste kindermode. Het assortiment in de winkel is tot zes jaar, maar op bestelling maakt ze ook kleertjes tot twaalf jaar. Je kunt er ook grappige accessoires kopen.
vicolo del bollo 6-7, telefoon 06 6864975, open di-za 10.30-14.00 & 15.30-19.30, bus piazza chiesa nuova

⑬ Nog nooit was een koekje of taartje kiezen zo moeilijk. **Il Fornaio** is dan ook een waar snoepparadijs. Je kunt er maar liefst uit meer dan dertig soorten koekjes en ruim twintig verschillende soorten taarten kiezen. Naast alle zoetigheden vind je er ook een groot gamma aan brood en pizza's. De leuze van de winkel is dan ook niet voor niets 'scelta di pane, scelta di vita' of 'keuze voor het brood, is een keuze voor het leven'.
via dei prullaria 7, open dagelijks 8.00-21.00, bus largo di torre argentina

⑭ Van veraf lijkt **Momento** geen originele winkel, maar als je in de etalage kijkt, dan zie je meteen de leuke, kleurrijke schoenen en tassen. In avondjurken en vrijetijdskleding is er ook een ruime keuze.
piazza benedetto cairoli 9, telefoon 06 68808157, open ma-vr 10.00-19.30, za 10.00-13.30 & 15.30-19.30, zo 12.00-19.30, bus largo di torre argentina

⑱ Van juwelen tot hoedjes, en van kleding tot tassen. Bij **Il Pallino di Valì** hebben ze een ruime keus. Kijk hier ook eens naar het mooie, met bloemetjes beschilderde plafond.
via di san dorotea 4, telefoon 06 58335774, open dagelijks 10.30-14.00 & 15.30-20.00 (soms tot 21.00), tram viale trastevere

㉒ In de **Farmacia Santa Maria della Scala** is nog veel bewaard gebleven van de originele apotheek, zoals de fresco's op het plafond en de houten wandkasten. Je kunt er nog steeds bepaalde oude geneesmiddelen kopen zoals 'hysteriewater'! Ook al blaak je van gezondheid, ga zeker een kijkje nemen.
piazza di santa maria della scala, open winter ma-za 8.30-11.00 & 16.00-19.30, open zomer ma-za 8.30-11.00 & 16.30-19.30, zondag soms open, tram viale trastevere

CAMPO DE'FIORI ⑦

⑬ IL FORNAIO

(28) **Temporary Love** is niet alleen een kledingwinkel, het is ook een kleine galerie. Terwijl je tussen de kledingrekken loopt, kun je er kijken naar de kunstwerken uit binnen- en buitenland. Op de website lees je welke kunstenaar exposeert. Naast kleding vind je er ook tassen, sieraden, hoeden en schoenen.
via di san calisto 9, telefoon 06 58334772, www.temporarylove.net, open di-zo 11.00-19.30, tram viale trastevere

(29) **Bibli** is een handige winkel voor alle toeristen in Rome. Want naast het feit dat je er boeken kunt kopen, kun je er ook eten en internetten. De internationale weekendbrunch op de overdekte binnenplaats houdt je de hele dag op de been.
via dei fienaroli 28, telefoon winkel 06 5884097, café 06 5814534, open ma 17.30-24.00, di-zo 11.00-24.00, prijs brunch € 15,50, tram viale trastevere

(31) **Biscottificio Innocenti** ziet er absoluut niet chic uit. Het is gewoon een heel oude bakkerij, maar ze hebben er heerlijke koekjes en taartjes. Het personeel beantwoordt er met plezier je vragen, maar de geheime familie-recepten houden ze voor zich.
via della luce 21, telefoon 06 5803926, open ma-za 8.00-20.00, zo 9.30-14.00, tram viale trastevere

(35) Voor koopjesjagers is de **Porta Portese** vlooienmarkt ideaal. De markt is al tientallen jaren beroemd en heeft zijn kleurrijke karakter ondanks alle veranderingen weten te behouden. Bereid je voor op bijna twee kilometer aan koopjes, antiek en rommel. Let hier wel goed op je waardevolle spullen.
vanaf het piazza di porta portese, door de via Portugese, zo 6.30-13.00, tram viale trastevere

Leuk om te doen

(5) In de één kilometer lange **Via Giulia** is het altijd leuk wandelen. Er rijden bijna geen auto's en de straat staat bekend als de mooiste renaissancestraat van de stad. Via Giulia diende oorspronkelijk als een snelle toegangsweg voor alle pelgrims naar het Vaticaan. Nu is het een straat vol kerken, antiekwinkels, kunstgalerijen en regeringsgebouwen (waaronder het antimaffiakantoor). Vergeet zeker niet te kijken naar de gevel van de kerk Santa Maria dell'Orazione e Morte. Die is versierd met doodskoppen. De boodschap aan de linkeringang luidt: 'Hodie mihi, cras tibi' of 'Heden ik, morgen jij'. Het is ook leuk binnen gluren in de binnenplaatsjes van de verschillende appartementsgebouwen.
via giulia, bus piazza chiesa nuova

(19) **Orto Botanico** is niet zo spectaculair als de botanische tuinen in andere Europese hoofdsteden, maar het is wel een heerlijke plek om aan de drukte te ontsnappen. Het park is vooral bekend om een rustige ochtend in door te brengen...
largo cristina da sepia 24, telefoon 06 8300937, open ma-za 9.30-18.30 ('s winters 9.00-17.30), entree € 4, tram viale trastevere

(36) Als je nog energie over hebt, loop dan naar de **Gianicolo**, de Janiculusheuvel. Het is niet een van de oorspronkelijke zeven heuvels, maar biedt wel een prachtig uitzicht over Rome. Als je de Janiculus te voet beklimt, kom je onder andere langs de Fontana dell'Acqua Paola, een populaire plek voor bruidsfoto's. Op de top van heuvel ligt het piazza Giuseppe Garibaldi, met zijn standbeeld. Niets beters dan hier 's avonds naar de zonsondergang te kijken met een glaasje wijn in de hand. Als je hier midden op de dag komt, moet je uitkijken: om 12.00 uur wordt onder de Piazza een kanon afgeschoten!
piazza giuseppe garibaldi, doorlopend open, gratis, bus 870 op piazza san paoli tot piazza giuseppe garibaldi

VIA GIULIA 5

Campo de'Fiori & Trastevere

WANDELING 6

Neem een bus naar Chiesa Nuova ①. Direct links van het plein ligt Only Hearts ②. Steek Corso Vittorio Emanuele over, ga Via dei Cartari in en winkel rechts verder in Via dei Banchi Vecchi ③. Voorbij kunstwinkel Maria Grazia Luffarelli ④ neem je de eerste straat links. Op het einde ga je linksaf in Via Giulia ⑤. Bij de kerk ga je links Via dei Farnesi in tot op Piazza Farnese ⑥. Wandel verder tot op Piazza Campo de'Fiori ⑦ ⑧. Loop tot op Piazza della Cancelleria. Wil je een wijntje proeven ⑨ of op zoek naar kinderkleding ⑩ loop dan Via Pellegrino in. Zo niet, loop langs twee restaurantjes ⑪ ⑫ tot op Piazza del Teatro Pompeo. Vlakbij vind je zoetigheid bij Il Fornaio ⑬. Ga verder rechtdoor, en dan rechts tot op Piazza Campo di Fiori. Bekijk de winkels in Via dei Giubbonari en neem het straatje net naast Momento ⑭. Sla rechts af naar Via dei Specchi en ga op het einde Via Arco del Monte in, richting Tiber. Kunstliefhebbers nemen hier een omweg naar Galleria Spada ⑮. Loop door naar de voetgangersbrug Ponte Sisto. Steek de straat over en houd links aan tot bij Freni & Frizioni ⑯. Daal de trapjes af aan het plein, ga rechts ⑰ en neem Via Vendetta, die overgaat in Via San Dorotea ⑱. Voor de botanische tuinen ⑲ of een dosis cultuur in Galleria Corsini ⑳ en Villa Farnesina ㉑ neem je de eerste straat rechts, Via Lungara. Je kunt ook links Via della Scala in en binnenlopen bij de oude apotheek ㉒. Ga links Via del Cinque in ㉓ ㉔. Loop Via della Scala uit tot Piazza San Egidio ㉕ ㉖. Loop verder tot op het beroemde Piazza Santa Maria in Trastevere ㉗. Net buiten het grote plein vind je Piazza San Calisto. Je passeert enkele leuke winkels als je Via del Arco di San Calisto in loopt ㉘, en vervolgens rechts gaat naar Via Fienaroli ㉙. Ga op het einde links, steek Viale di Trastevere over ㉚, Via C. Marmaggi in. Neem links Via della Luce ㉛. Sla rechts af naar Via dei Genovesi ㉜. Houd rechts aan naar de Basilica di Santa Cecilia ㉝. Vlakbij ligt de Taverna dei Mercanti ㉞. Loop door Via San Michele naar de vlooienmarkt Porta Portese ㉟ of ga rechtsaf Via San Madonna dell'Orto in om terug te keren naar het hart van Trastevere. Hiervoor ga je linksaf naar Via Anicia tot Piazza San Francesco d'Assisi, waar je Via di San Francesco a Ripa neemt, over Viale Trastevere. Als je nog energie over hebt, beklim dan de Gianicolo ㊱: loop links Via Luciano Manara in, neem rechts Via G. Venezian en neem ten slotte de steile Via di Porta San Pancrazio tot bij de Fontana dell'Acqua Paolo, en zo verder tot Piazza Garibaldi. Hier heb je een mooi uitzicht over Rome.

1. Chiesa Nuova
2. Only Hearts
3. Biblioteq
4. Maria Grazia Luffarelli
5. Via Giulia
6. Palazzo Farnese
7. Campo de'Fiori
8. Forno di Campo De'Fiori
9. Al Bric
10. Rachele
11. Grappolo d'Oro Zampanò
12. Ditirambo
13. Il Fornaio
14. Momento
15. Galleria Spada
16. Freni e Frizioni
17. Friends Art Café
18. Il Pallino di Valì
19. Orto Botanico
20. Galleria Corsini (Galleria Nazionale d'Arte Antica)
21. Villa Farnesina
22. Farmacia Santa Maria della Scala
23. Cioccolata & Vino
24. Glass
25. Museo di Roma in Trastevere
26. Ombre Rosse
27. Santa Maria in Trastevere
28. Temporary Love
29. Bibli
30. Pizzeria Ai Marmi
31. Biscottificio Innocenti
32. Pizza & Champagne in the living room
33. Basicilica di Santa Cecilia
34. Taverna dei Mercanti
35. Porta Portese
36. Gianicolo

Overige bezienswaardigheden

Geen enkele gids kan heel Rome beschrijven. We hebben hier geprobeerd je op weg te helpen, maar er zijn uiteraard nog veel meer dingen te zien en te doen. De letters voor de namen vind je terug op de overzichtskaart voorin.

Ⓚ **San Giovanni in Laterano** is de kathedraal van Rome en de zetel van de Paus functionerend als bisschop van de stad. De kerk werd gesticht door keizer Constantijn in de vierde eeuw en is sindsdien verschillende keren verbouwd. Nu is het een gigantische en rijk versierde kathedraal met het pauselijke altaar als middelpunt. Onder het altaar staat een houten tafel die door Petrus zou gebruikt zijn. Erboven hangt een marmeren baldakijn die volgens de legende de hoofden van Petrus en Paulus bevat. Alleen de paus mag vanaf het hoofdaltaar de mis opdragen. Verder vind je hier een kloostergang en een achthoekige doopkapel met prachtige mozaïeken.
piazza di san giovanni in laterano 4, telefoon 06 69886433, kathedraal open dagelijks 7.00-18.30, klooster open dagelijks 9.00-18.00, doopkapel open dagelijks 7.00-12.30 & 16.00-19.30, entree klooster € 2, kathedraal en doopkapel entree gratis, metro san giovanni

Aan de noordoostkant van het plein voor San Giovanni in Laterano staat een belangrijk gebouw voor pelgrims omdat zich daar de Heilige Trappen of **Scala Santa** bevinden. Volgens de legende komen de 28 marmeren trappen uit het paleis van Pontius Pilatus en zou Christus hier vóór zijn kruisiging gelopen hebben. Pelgrims gaan op hun knieën de trap op, hopend op genade. Boven aan de trap ligt het Sancta Sanctorum, ooit de privékapel van de paus.
piazza di porta san giovanni, telefoon 06 70494619, open dagelijks, okt-mrt 6.15-12.00 & 15.00-18.15, apr-sept 6.15-12.00 & 15.30-18.45, metro san giovanni

Ⓛ Vlak bij het Terministation op de Esquilijnse heuvel ligt de indrukwekkende **Basilica di Santa Maria Maggiore**. Volgens de legende bouwde paus Liberius deze kerk in de vierde eeuw na Christus. Hij droomde dat Maria hem de opdracht gaf de kerk te bouwen op de plaats waar die nacht sneeuw zou vallen. De volgende ochtend lag er sneeuw op de Esquilijn en dus werd de kerk hier gebouwd. Een eeuw later verbouwde paus Sixtus III de kerk en wijdde die aan Maria toen verklaard werd dat Maria daadwerkelijk de moeder

van Jezus was. Opvallend aan de basiliek is het schitterende cassetteplafond. Het goud zou Columbus uit Amerika hebben meegebracht. Op het einde van de lange apsis zie je het baldakijn waaronder een zilveren urne staat die enkele fragmenten van de kribbe van Christus bevat. Op het plein voor de basiliek staat de Colonna all'Esquilino, een zuil die van het Forum Romanum komt. Kijk buiten ook zeker naar de klokkentoren want met haar 75 meter is het de hoogste in de stad. In de basiliek vind je ook een museum, een barok doopfont en verschillende kapellen.
piazza di santa maria maggiore, telefoon 06 483195, basiliek open dagelijks 7.00-19.00, museum open dagelijks 9.30-18.30, cappella sforza open ma-vr 9.00-17.00, entree basiliek en cappella sforza gratis, entree museum € 4, metro vittorio emanuele

Ⓜ Toen het badhuis van Diocletianus, **Terme di Diocleziano**, in de derde eeuw gebouwd werd, was het het grootste badhuis in Rome. Er was plaats voor drieduizend badgasten en er waren bibliotheken, concertzalen en tuinen ingebouwd. Diocletianus stond bekend om zijn vervolging van christenen en veel christelijke slaven zijn omgekomen bij de bouw. Net als de Thermen van Caracalla werden de baden in de zesde eeuw gesloten toen de aquaducten werden vernield. In de zestiende eeuw werd de al wat oudere Michelangelo door de paus gevraagd om de kerk van **Santa Maria degli Angeli** in het badhuis te bouwen. Het huidige atrium van de kerk komt overeen met het oorspronkelijke 'tepidarium' of warme bad. De 91 meter lange streep over de vloer van de kerk loopt over de meridiaan van Rome en een strategisch geplaatst gat in het plafond zorgt ervoor dat het zonlicht de tijd vrij nauwkeurig aangeeft.
via enrico de nicola 78, telefoon 06 39967700, www.pierreci.it, open di-zo 9.00-19.45, entree € 7, 18-24 jaar € 3,50 (3 dagen geldig, inclusief toegang crypta balbi, palazzo massimo, palazzo altemps), metro repubblica

Ⓝ Veel mensen zullen naar Rome gaan voor de oude gebouwen, maar voor architectuurfans zijn de modernere bouwwerken van de **EUR** een aanrader. EUR staat voor Esposizione Universale Roma. Mussolini wilde dit complex gebruiken voor de wereldtentoonstelling van 1942. Na het uitbreken van de tweede wereldoorlog viel de bouw stil en pas in 1951 was alles af. De gigantische, hoekige witte gebouwen zijn indrukwekkend, vooral het 'vierkante Colosseum', het Palazzo della Civiltà del Lavoro. In de EUR vind je een aantal belangrijke musea, waaronder het Museo Nazionale Preistorico Etnologico Luigi Pigorini met een collectie die gewijd is aan culturen van verschillende continenten. Het Museo Nazionale dell'Alto Medioevo laat gebruiksvoorwerpen uit de periode tussen de vierde en de tiende eeuw zien. Het Museo della Civiltà Romana heeft gipsmodellen van verschillende Romeinse kunstschatten die over de hele wereld verspreid zijn geraakt.
eur, www.romaeur.it, metro eur palasport of eur fermi
museo nazionale delle arti e tradizioni popolari, piazza marconi 10, telefoon 06 5926148, open di-vr 9.00-18.00, za-zo 9.00-20.00, entree € 4
museo nazionale preistorico etnologico luigi pigorini, viale lincoln 14, telefoon 06 39967700, www.pigorini.arti.beniculturali.it, open ma-za 9.00-14.00, entree € 4
museo nazionale dell'alto medioevo, viale lincoln 3, telefoon 06 54228199, open di-zo 9.00-14.00, entree € 2
museo della civiltà romana, piazza agnelli 10, telefoon 06 5926135, www.museociviltaromana.it, open di-za 9.00-14.00, zon- en feestdagen 9.00-13.30, entree € 6,50

Ⓞ **Ostia Antica** is het Pompeii van Rome. Hier vind je de resten van de oude havenstad van Rome, die in de zevende eeuw in verval raakte toen de inwoners wegvluchtten omwille van de malaria. In de negentiende eeuw startte men met de opgravingen en je kunt er nu goed zien hoe het leven van 50.000 mensen er vanaf de vierde eeuw voor Christus uit moet hebben gezien. Er zijn overblijfselen van huizen, winkels, badhuizen, tempels en een amfitheater. Ostia Antica ligt op een treinreis van ongeveer 20 minuten van het centrum van Rome en je kunt de dag afsluiten door lekker vis te gaan eten in het nabijgelegen Lido di Ostia, de badplaats van Rome.
ostia antica, ingang in de via dei romagnoli 717, telefoon 06 56358099, www.ostia-antica.org, open winter di-zo 9.00-16.00, zomer di-zo 9.00-18.00, entree € 6,50, trein ostia antica vanaf metro piramide

(P) De **Via Appia Antica** was een van de belangrijkste wegen van het oude Rome. Je kunt hier nu nog de eerste christelijke catacomben (niet voor mensen met claustrofobie), de grafmonumenten van de Romeinse adel en een aantal paleizen uit de oudheid zien. Het is een goede plek om op een zonnige dag te gaan fietsen. Fietsen zijn te huur bij het informatiecentrum aan het begin van de weg (zie website). Op zon- en feestdagen mag er geen gemotoriseerd verkeer komen. Alleen een speciale shuttlebus, de Archeobus, vertrekt dan tussen negen uur 's ochtends en vier uur 's middags iedere veertig minuten vanaf Termini en het Piazza Venezia. Met je kaartje kun je steeds weer in- en uitstappen om de oude weg en het natuurpark eromheen te bekijken. In totaal zijn er zo'n 16 stops waaronder de Catacomben van San Sebastiano en het acquaductenpark.
de via appia antica begint bij porta san sebastiano, telefoon info bus 06 46954695 (ma-vr 9.00-14.00), park 06 5126314, alle praktische informatie vind je op www.parcoappiaantica.org

(Q) Krijg je maar niet genoeg van de Griekse en Romeinse kunst, dan kun je altijd een bezoek brengen aan het **Palazzo Massimo alle Terme**. In dit mooie gerestaureerde negentiende eeuwse paleis vind je drie verdiepingen vol klassieke kunst, van Romeinse fresco's en mozaïeken tot schitterende Griekse en Romeinse beelden. Hoogtepunten zijn onder meer de Lancellotti-discobolus- een discuswerpende atleet- en de serie fresco's van rond 20 voor Christus die vlak bij de Villa Farnesina zijn gevonden.
largo di villa peretti 1, telefoon 06 4815576, www.archeoroma.beniculturali.it, open di-zo 9.00-19.45, entree € 7, 18-24 jaar € 3,50, (ticket geldig 3 dagen, inclusief entree palazzo altemps, crypta balbi, rerme di diocleziano), metro termini

Uitgaan

In de wekelijkse uitlijst Roma C'è en het maandelijkse Time Out lees je wat er te doen is in Rome. Als je meer wilt weten over klassieke muziek, kun je het tweewekelijkse Wanted in Rome bekijken. Alle bladen zijn verkrijgbaar bij de kiosk. Een goede website met tips voor clubs en bars is *www.2night.it*. De culturele pagina's van de gemeente, *www.comune.roma.it/cultura*, bevatten ook nuttige informatie, vooral in de zomer als er veel openluchtfestivals zijn. Als je van jazz en blues houdt, kun je via *www.casajazz.it.* concerten vinden in de Romeinse jazzclubs. Hieronder staan een aantal cafés met livemuziek en discotheken; de letters vind je terug op de overzichtskaart voorin.

Livemuziek

Ⓡ In het nieuwe **Auditorium Parco della Musica** kun je verschillende liveconcerten beluisteren. Als je een fan van moderne architectuur bent, is het gebouw alleen al een bezoekje waard. Het is ontworpen door Renzo Piano en bestaat uit drie gigantische scarabeevormige zalen die rondom een centrale theaterruimte gebouwd zijn. In de foyer vind je een chic restaurant en een wijnbar. Er worden elke dag rondleidingen gegeven en je kunt de resten bezoeken van een Romeinse villa.
via pietro de coubertin 30, telefoon 06 802411, www.auditorium.com, ticketshop open dagelijks 11.00-20.00, bezoek met gids (engels, frans, spaans of duits), za-zo & feestdagen, elk uur vanaf 11.30-16.30, prijs € 9, reserveren verplicht via 068 024 1281, tram piazza del popolo

Ⓢ **Alexanderplatz** is een van de bekendste clubs met live jazzmuziek in Italië. Er worden elke dag concerten gegeven door de bekendste Italiaanse en internationale muzikanten. De kleine kelder heeft een intieme sfeer. Reserveer voor belangrijke optredens. 's Zomers organiseert Alexanderplatz samen met andere podia een jazzfestival in het park van Villa Celimontana.
via ostia 9, telefoon voor reserveringen 06 39742171, voor informatie 06 58335781, www.alexanderplatz.it, open dagelijks vanaf 20.00-1.30, optredens om 22.00, metro ottaviano

Ⓣ In de bruisende wijk Trastevere is **Big Mama** dé plek voor live blues- en rockmuziek. Bijna iedere avond zijn er optredens van bekende en minder bekende artiesten uit binnen- en buitenland. Reserveren is aan te raden.
vicolo san francesco a ripa 18, 06 5812551, www.bigmama.it, open di-za 21.00-1.30, (sluitingsdagen schommelen: check altijd de website) optredens om 22.30, tram viale trasteve

Disco's & clubs

(u) **Goa** is een trendsetter en geen trendvolger. De oprichter, dj Giancarlino, die elke donderdag draait, weet precies wat er gebeurt op het gebied van house en elektronische muziek. Op vrijdag- en zaterdagavond is het iets minder experimenteel en zie je de nieuwste internationale dj's vóórdat ze tot de mainstream behoren. Na middernacht staan er lange rijen voor de deur.
via libetta 13, telefoon 06 5748277, open di-zo 23.00-4.00, metro garbatella

(v) **Akab** is een populaire club in Testaccio en dat betekent dat er op de meeste avonden lange rijen voor de deur staan. Het hangt van de avond af wat voor club het is. Soms is het gewoon een café. Op andere avonden is het echt een club, vooral op donderdag als er voornamelijk house gedraaid wordt. Soms worden er films vertoond en op zaterdag is het homoavond. Als de rij te lang is zijn er gelukkig genoeg alternatieven in de buurt, want alle trendy clubs vind je in deze straat.
via monte testaccio 68, telefoon 06 5782390, open dagelijks 22.30-5.00, metro piramide

(w) Bij **Supperclub** maak je kennis met een nieuwe manier van uit eten gaan, een zogenaamde 'dining-experience'. Alle zintuigen worden hier bediend: smaak, reuk, gehoor en gezicht. De show duurt van negen uur tot ongeveer half twee. Je kunt er ook voor kiezen om in een van de chique salons in dit voormalige paleis te gaan zitten voor een drankje en om naar de kunst te kijken. Misschien ken je de formule van de Supperclub in Amsterdam.
via dei nari 14, telefoon 06 68807207, www.supperclub.com, open dagelijks 19.00-2.00, prijs diner € 55 (zonder drankjes), bus largo argentina

(x) Verborgen onder het park van Villa Borghese ligt het beroemde **Art Café** Het is dé ontmoetingsplaats van de jonge Romeinse beau monde. Als je je hier niet netjes kleedt, kom je niet binnen. Er zijn twee zalen waar voornamelijk house en commerciële dance worden gedraaid. Verschillende dansers maken het allemaal nog wat bonter. In de zomer verhuist de club naar boven, tussen het groen van Villa Borghese.
via del galoppatoio 33 (trappen afdalen in het centro commerciale), telefoon 06 36006578, open di-za 23.30-5.00, entree € 15, metro spagna
14, quai de la seine / 7, quai de la loire, 19e arr, telefoon (0)8 92 68 14 07, www.mk2.com, metro stalingrad

index op alfabet

index op thema

bezienswaardigheden

eten & drinken

hotels

leuk om te doen

overige bezienswaardigheden

shoppen

uitgaan

vervoer

TEVENS VERKRIJG-BAAR